#कहानीवाला
(कहानी-संग्रह)

#कहानीवाला

संदीप डोबरियाल

हिन्द युग्म
hindyugm.com
BLUE

ISBN : 978-93-87464-54-4

प्रकाशक :
हिन्द-युग्म ब्लू
201 बी, पॉकेट ए, मयूर विहार फ़ेस-2, दिल्ली-110091
मो.- 9873734046, 9968755908

मुद्रक : विकास कम्प्यूटर ऐंड प्रिंटर्स, दिल्ली-100032
कला-निर्देशन : विजेंद्र एस विज

पहला संस्करण : 2019
मूल्य : ₹120 | $7

#Kahaniwaala
(A collection of short stories by *Sandeep Dobriyal*)

Published By
Hind Yugm Blue
201 B, Pocket A, Mayur Vihar Phase 2, Delhi-110091
Mob : 9873734046, 9968755908
Email : sampadak@hindyugm.com

Website : www.hindyugm.com

First Edition: 2019
Price : ₹120 | $7

स्मृति
पिता श्री स्व. मंसाराम डोबरियाल

आशीर्वाद
माता श्री शशि डोबरियाल

साभार
सात्विक, अनुभा, सुनील, रजनीश, अभिषेक एवं मित्रगण

कहानी-क्रम

फ़ितूर, एक शाम का 9

कुछ रिश्ते उड़ते हुए ही अच्छे लगते हैं 26

पतंगें 31

झूठा सच 37

जुगनू और सोने का हिरण 60

मैं बहुत बड़े सींग चाहता हूँ 72

आलू-भुजिया 75

मेरा रूम 94

ठिठुरते हाथ 98

फ़ितूर, एक शाम का

''बसंती।'' किसी ने धीरे से आवाज़ दी।

पैर जहाँ थे, वहीं रुक गए। आँखें लाल बटन पर टिक गईं।

सिर पर छोटे-छोटे बाल। तेल इतना कि मानो किसी ने सिर के हर छेद के मुँह में नवरतन तेल ठूँस दिया हो।

काले जूते, सफ़ेद मोज़े, नेवी ब्लू रंग की पैंट, एक कंधे से लटकता हुआ बैग, पूरी बाँह की सफ़ेद कमीज़ और कमीज़ पर सारे सफ़ेद बटनों के बीच तीसरे बटन का रंग– लाल।

''अबे ओय, बसंती।'' इस बार आवाज़ में थोड़ी तेज़ी और कड़कपन था।

रुके हुए पैर थिरकने लगे।

नज़रें फिर भी तीसरे लाल बटन पर ही जमी रहीं।

धीरे-से हाथों ने भी पैरों की संगत पकड़ ली। कोई लय नहीं, कोई ताल नहीं। जैसे गर्मी से तपी टीन की चादर पर किसी ने बिल्ली छोड़ दी हो।

''अरे बस करो बे, बसंती! मैं हूँ बे, तन्मय गुप्ता।'' किसी ने बड़ी

मुश्किल से अपनी हँसी दबाते हुए कहा।

बसंती का नाम बसंती नहीं था।

10 दिन पहले फ़र्स्ट ईयर में दाख़िला लिया। हॉस्टल के वार्डन ने पिता जी को आश्वासन दिया था कि 'अनुशासन, प्रतिष्ठा और परंपरा' ही नरेंद्र देव इंजीनियरिंग हॉस्टल की पहचान है, लेकिन पहली ही शाम को पेशी लग गई। बाल कटवा दिए गए, चेहरे पर उस्तरा चलवा दिया गया, तीन थप्पड़ों के साथ आने वाले दो महीनों तक तीसरी लाल बटन की अहमियत भी समझा दी गई।

मोबाइल पर शोले के गाने बजाकर डांस करवाया गया।

देखने वालों की आँखें फटी की फटी रह गईं। लोगों को कहते सुना था कि 2002 बैच में कोई ऐसा नाचा था और अब जाकर जितेंद्र कुमार फ्रॉम बाराबंकी ने वो कारनामा दोहराया है।

लोगों ने अपने चश्मे साफ़ कर-करके डांस देखा, गाने बदल-बदलकर भी देख लिए गए, लेकिन मजाल जो किसी भी एक गाने पर सही हाथ-पैर फेंका हो जीतू ने। कुछ ने तो चप्पल निकाल ली सुँघाने के लिए कि कहीं मिर्गी का दौरा न आ गया हो। दो-चार आवाज़ें ये भी आईं कि हो सकता है, माता आती होगी इसको।

कस के लतियाए गए जितेंद्र कुमार, पहली ही शाम को।

रात होते होते नामकरण कर दिया गया- 'बसंती', वो भी इस हिदायत के साथ कि जब तक तमीज़ से नाचना न सीख जाओ, तब तक, जब भी 'बसंती' सुनो, तुरंत नाचने लग जाओ- चाहे कहीं भी हो, कैसी भी हालत में हो।

उधर, नज़रें तो तीसरे बटन से ऊपर उठ गईं, पर हाथ-पैर अब भी थिरक रहे थे।

" साले बसंती, मैं हूँ बे, तन्मय गुप्ता, कंप्यूटर साइंस, रूम नंबर 15, फ्रॉम ग़ाज़ियाबाद।"

ये सुनकर हाथ-पैरों की थिरकन थम गई, पर ग़ुस्से से नथुने फूल गए।

पलटकर देखा, तो पुराने हॉस्टल के पास वाले शिव मंदिर के पीछे की दीवार से टिककर तन्मय खड़ा हुआ था।

"भक साले! गुम्मा मार देंगे, खोपड़ी फट जाएगी।" जीतू ने पास में पड़ी ईंट की ओर देखते हुए कहा।

फिर चौंककर इधर-उधर देखते हुए जीतू ने पूछा- ''अकेले हो ?''

तन्मय अब भी इस बात पर हँसे जा रहा था कि कैसे 'बसंती' नाम सुनते ही जीतू किसी चाभी वाले खिलौने-सा नाचने लगता है। किसी तरह अपनी हँसी रोकते हुए बोला- ''हाँ अकेला ही हूँ! पर तुम, यहाँ पीछे के रास्ते से छुप-छुपकर कहाँ जा रहे हो ?''

जीतू का ग़ुस्सा और डर, दोनों अब ग़ायब हो गए थे। तन्मय के पास आते हुए बोला- ''बस स्टैंड के पास चाय पीने। इधर हॉस्टल के पास वाले ढाबों पर गया, तो साला कोई न कोई पकड़ लेगा।''

जीतू ख़ुद को चाय का नशेड़ी मानता था।

''पिछले 10 दिनों में चार बार हिम्मत करके, पास वाले ढाबे पर चाय पीने गया भी। पर हर बार, शाम बसंती से जवाँ होती और उमराव जान पर जाकर ही ढलती। सीनियर, चाय और बन-ऑमलेट खिला तो देते थे, लेकिन उसके बदले दो-तीन घंटे मुफ़्त का मुज़रा। पिछले तीन दिनों से शाम को चाय नहीं पी थी और आज पैरों में घुँघरू बँधवाने का मन नहीं था, सो छुपकर पीछे के रास्ते से बस स्टैंड के पास जाकर चाय पीने के लिए निकल पड़ा।''

तन्मय के बग़ल में खड़े होकर जीतू ने पूछा- ''और तुम, यहाँ क्या धान बो रहे हो बे, गुप्ता ?

तन्मय ने अपने हाथ के पीछे से पेप्सी की बोतल सामने निकाली और जीतू की ओर देख मुस्कराते हुए पूछा- ''पियोगे ?''

''हाँ, काहे नहीं पिएँगे ? लाओ इधर''

''अबे, पेप्सी नहीं है बे ये। बियर भरी हुई है पेप्सी की बोतल में।''

''भक साले! सच बताओ ?'' आँखें छाते-सी खुल गईं, जीतू ने चौंकते हुए पूछा।

''और नहीं तो क्या ? तुम लुगाई लगे जो तुमसे मज़ाक करेंगे। एक घूँट पीकर देख लो ?'' तन्मय ने बिदकते हुए कहा और पेप्सी की बोतल जीतू की तरफ़ बढ़ा दी।

जीतू झटके से एक क़दम पीछे हुआ।

'' साले , मेरे बाप की नाक को जानते नहीं हो तुम, एक घूँट भी बियर पी ली, तो वहीं से बैठे-बैठे चप्पल फेंककर मारेंगे।''

फिर तन्मय के कंधे पर हाथ रखते हुए बोला– "वैसे, एक बात तो है। एक हुए थे जिगर मुरादाबादी और अब तुम हुए हो जिगर ग़ाज़ियाबादी। बड़ा जिगरा है बे तुम्हारा, जो रैगिंग टाइम में भी बियर सुलटा रहे हो, वो भी मंदिर के पीछे।"

दोनों हँस पड़े।

"अच्छा सुनो, चलोगे बस स्टैंड तक मेरे साथ? वरना मैं निकलता हूँ, तीन दिन हो गए शाम को चाय पिए।"

"पागल हो क्या? अपना हुलिया देखकर कोई भी पीछे से 'ओय फ़र्स्ट ईयर' बोल देगा, तो हम सिर नीचे करके थर्ड बटन देखने लगेंगे। यहाँ तो अपने कॉलेज के सीनियर्स ही मज़े लेते हैं, बस स्टैंड पर तो कभी-कभी ये साले ड्राइवर और टपरी वाले भी लपेट लेते हैं।"

फिर एक पल के लिए सोचकर बोला– "एक काम करो, अपने हॉस्टल मेस वाले दिलावर को 50 का नोट थमा दो। रूम पर चाय दे जाया करेगा रोज़। अदरक बोलो तो अदरक, इचाइची बोलो तो इलाइची।"

बात में दम था, सो जीतू भी तन्मय के साथ वहीं दीवार पर टेक लगाकर खड़ा हो गया।

तभी तन्मय ने जीतू की कमर पर हाथ रखा और मुस्कराते हुए बोला– "पर कुछ भी कहो भाई, लचक आ गई है तुम्हारी कमर में। क्या ठुमके मारे तुमने अभी।"

"भक साले!" जीतू ने तन्मय के हाथ को झटक दिया और थोड़ा-सा पीछे होते हुए बोला– "और तुम अभी तो बड़े ख़लीफ़ा बन रहे हो, कल क्या हो गया था जब एक टाँग पर दौड़ाए जा रहे थे पूरे हॉस्टल में?"

तन्मय की हँसी बंद हो गई।

तन्मय को दो दिन पहले किसी सीनियर ने कहा कि जाओ, जाकर सेकंड ईयर की पूजा मैम को प्रोपोज़ करके आओ। जूनियर से किसी न किसी को प्रोपोज़ करवाना रोज़ की ही बात थी। पूजा मैम को भी पता था कि ये सब मज़ाक़ चलता ही रहता है, सो तन्मय से हँसकर बात की और कैंटीन ले जाकर समोसा खिलाया और कोल्ड ड्रिंक भी पिला दी।

तन्मय को प्यार हो गया।

अगले दिन ख़ुद ही लव लैटर लिखा और जाकर पूजा मैम को दे आया। पूछने पर बोल दिया कि किसी सीनियर ने आपको देने को कहा है। प्यार का इज़हार तो कर आए, लेकिन ये नहीं पता था कि पूजा मैम का बॉयफ्रेंड भी है। पूजा के चक्कर में जमकर पूजा हुई तन्मय की।

तबियत से ठुकाई हुई, वो भी नसीहत के साथ कि 'साले , सीनियर मैम माँ सामान होती हैं।'

उदास-सा चेहरा लिए तन्मय बोला- "शक्ल नहीं देख पाए उसकी, पर ठीक नहीं किया उसने। पहले ख़ुद ही कहा कि जाकर पूजा मैम को प्रोपोज़ कर दो। तब नहीं बताया कि वो ही उनका बॉयफ्रेंड है। मैंने सोचा, मौक़े का फ़ायदा उठाकर हम भी लाइन में लग जाते हैं, पर साले ने आकर धुन दिया। अबे जूनियर्स हैं तो क्या? फीलिंग्स की तो कदर कर लो... पर नहीं।"

जीतू मुस्करा दिया। तन्मय की ओर देखते हुए बोला- "अपने बैच में कोई पसंद नहीं आई?"

तन्मय जमकर हँसा। "अबे अपने बैच वालियों का तो पूछो ही मत। बड़ी दया-सी आती है उन पर। पता नहीं, गर्ल्स हॉस्टल में उनकी रैगिंग कैसे होती है। लेकिन यार, बेचारियों को दो-दो चोटी बनाकर आना पड़ता है कॉलेज। एक में लाल रिबन, दूसरे में सफ़ेद और उस पर सलवार कुर्ते पर स्पोर्ट्स शूज। बिल्कुल गंगूबाई जैसे। चंपू बनाकर रखा हुआ है सबको।"

फिर उसने पेप्सी की बोतल मुँह में लगाई और कुछ सोचकर मुस्कराते हुए बोला- "बहुत टाइप के पाप होते हैं इस दुनिया में, लेकिन किसी लड़की से उसके सजने-धजने का हक़ छीन लेना सबसे बड़ा पाप है। देखना, सारी सीनियर्स नरक में जाएँगी, जिन्होंने हमारी बैच वालियों के साथ ऐसा किया।"

थोड़ा रुका और फिर जीतू को आँख मारते हुए बोला- "पूजा मैम को छोड़कर।"

"तू बता, तुझे कोई पसंद आई?" तन्मय ने जीतू से पूछा।

जीतू की आँखें हल्के से चमक उठीं।

"हाँ आई तो है... ऐसा समझ लो। अपने बैच की ही है। वैसे बात तो सही है तुम्हारी कि अभी तो दो चोटियों में अपनी बैच की लड़कियाँ गंगूबाई लगती

हैं, पर मैंने देख लिया है आगे का। जिस दिन रैगिंग के काले बादल छँटेंगे, तो देखना सबसे ज़्यादा निखरकर सामने आएगी वो।''

''कौन है बे वो? हिमानी?'' तन्मय जान लेना चाहता था कि कहीं जीतू भी हिमानी को ही पसंद तो नहीं करता।

''हम्म... हिमानी भी अच्छी है, पर मुझे निहारिका ठीक लगती है। निहारिका तिवारी, वो मैकेनिकल वाली! पर क्या करना? अपना मामला तो बस पसंद पर ही सिमट जाता है हर बार, कुछ कह तो पाऊँगा नहीं मैं।'' जीतू के चेहरे पर बेबसी छलक उठी।

तन्मय ने जीतू की पीठ ठोककर शाबाशी देते हुए कहा- ''वाह बेटा बसंती, तुम तो साले गब्बर निकले। इलेक्ट्रॉनिक छोड़कर सीधे मैकेनिकल। Out of box thinking वाले लगते हो, पर डरते क्यों हो बे, मौक़ा देखकर बोल डालो। बोल कर तो देखो।''

जीतू को कह देने से ज़्यादा, मना हो जाने का डर था। डर ये भी था कि अगर निहारिका ने ना बोल दिया, तो फिर उससे आँखें कैसे मिला पाएगा अगले चार साल। और अगले चार साल ही क्यों? ज़िंदगी इतनी लंबी है... कहीं मुलाक़ात हो गई तो? दोनों की नौकरी एक ही कंपनी में लग गई तो? कभी दोनों को एक ही ट्रेन में अगल-बग़ल की सीट मिल गई तो? कहीं उसकी ससुराल बाराबंकी में उसके ही मोहल्ले में हुई तो?

कुछ लोग फ्रेंडज़ोन में रहने के लिए पैदा होते हैं, जीतू भी उनमें से एक था।

मगर तन्मय ने भी क़सम खा ली थी प्यार का मसीहा बनने की। और वैसे भी, जब कहानी किसी और की हो, तो मसीहा बनने में जाता भी क्या है? तन्मय समझाता रहा कि बोल देने में कुछ नहीं जाता है। छुपने-छुपाने से कुछ नहीं होता, लड़की को पता चलना चाहिए कि तुम उसे चाहते हो।

बोला कि चलो, गर्ल्स हॉस्टल के पास वाली स्टेशनरी की दुकान में चलते हैं। शाम को बहुत-सी लड़कियाँ वहाँ आती हैं फ़ोटोकॉपी करवाने और फ़ोन रिचार्ज करवाने। अगर निहारिका भी वहाँ आई होगी, तो वहीं बोल देना उसको। पर जीतू की हिम्मत नहीं हुई। जीतू, तन्मय की हर बात के जवाब में अपने बचपन से लेकर अब तक की एकतरफ़ा प्यार की कोई न कोई नाकाम

कहानी सुना देता।

तन्मय बोला- "अरे छोड़ो यार, जो भी हुआ पहले। अब तुम मोहब्बत के शहर में हो। यहाँ शाहजहाँ ने प्यार में ताजमहल बना दिया और तुम हो कि अपनी मुमताज से मिलने में भी डर रहे हो। शाहजहाँ न अच्छा लगे, तो सिकंदरा में अकबर को देख लो। जोधा-अकबर तो देखी ही होगी, वो ऋतिक वाली। वरना बग़ल में कृष्ण जी की मथुरा नगरी और वृंदावन है। अबे...! ये पूरा ज़ोन ही प्यार-मोहब्बत का ज़ोन है और तुम साले , फ्रेंडज़ोन में रहना चाहते हो ज़िंदगीभर।"

जीतू की आँखें फिर से हल्की-सी चमक उठीं। "और अगर कोई सीनियर मिल गया वहाँ तो?"

"मिल गया, तो थोड़ा नाच लेना।चाय के लिए नाचने से तो अच्छा है, प्यार के लिए नाचना!"

जीतू मान गया।

तय कर लिया गया कि अगर कोई पूछेगा, तो बोल देंगे कि अपने यहाँ वाली दुकान में ग्राफ़ वाली नोटबुक नहीं थी, तो यहाँ चले आए।

तन्मय ने अपनी बियर के आख़िरी कुछ घूँट पिए, बैग लटकाया और दोनों गर्ल्स हॉस्टल के पास वाली दुकान की ओर चल दिए। दुकान के पास पहुँचते ही दोनों समझ गए कि क्यों उस दुकान का नाम 'मिलन जनरल स्टोर एंड स्टेशनरी' है। कम से कम 10 सीनियर जोड़े अपनी-अपनी ग्राफ़ वाली नोटबुक ख़रीदने वहाँ आए हुए थे। लगता है, जैसे पूरे आगरा में सिर्फ़ इसी दुकान में ग्राफ़ वाली नोटबुक मिलती है, बाक़ी सब तो चूरन-पट्टी बेचते हैं, बस।

एक नज़र में दोनों ने दूर से ही दुकान का मुआयना किया। जीतू ने निहारिका को ढूँढ़ा और तन्मय ने पूजा मैम को। दोनों ही वहाँ नहीं थीं। तन्मय ने फिर से एक और बार नज़र घुमाई, पर हिमानी भी वहाँ नहीं थी।

जीतू और तन्मय दोनों के लिए ही ये नया नहीं था। जीतू की पिछली कई प्रेम कहानियाँ ऐसे ही किसी मोड़ पर दम तोड़ चुकी थीं, और तन्मय को पता था कि कभी-कभी एक बार में तो अपने कमरे में रखी कोई चीज़ भी नहीं मिलती है और यहाँ तो प्यार ढूँढ़ना था।

जीतू के चेहरे पर उदासी उमड़ गई। बोला- "छोड़ो यार, चलो चलते

हैं वापस अपने हॉस्टल। अभी थोड़ी देर में वहाँ परेड शुरू होने ही वाली होगी।''

तभी तन्मय बोला- ''एक काम करते हैं। वापस चलते हैं अपने हॉस्टल, पर वो गर्ल्स हॉस्टल के पीछे वाले रास्ते से। क्या पता कहीं दीदार हो जाए मोहब्बत के ?''

थोड़ी ना-नुकर के बाद जीतू मान गया। दोनों छुपते-छुपाते गर्ल्स हॉस्टल के पीछे वाले रास्ते पर पहुँच गए।

आधी खिड़कियों के सामने घने पेड़ थे और बाक़ी खिड़कियाँ बंद थीं। छत पर भी सन्नाटा पसरा था।

''साले, यहाँ कौआ भी नहीं दिख रहा है आसपास, और तुम यहाँ मोहब्बत का दीदार करवाने वाले थे।'' जीतू ने खीझते हुए कहा।

''अबे रुको तो सही, हल्की-हल्की आवाज़ें तो आ रही हैं छत से।'' तन्मय ने जीतू का बैग पकड़ा और एक पेड़ के पीछे छुपने के लिए घसीटने लगा।

''हाँ-हाँ, बिल्कुल! थाल सजा रही होंगी सब कि जीजा जी आ गए, जीजा जी आ गए। चलो यहाँ से अब।'' जीतू ने उसका हाथ झटकते हुए कहा।

अगले दस मिनट तक दोनों पेड़ के पीछे छुपे इधर-उधर ताकते रहे।

तन्मय बोलता रहा कि छत से कुछ आवाजें आ रही हैं, पर जीतू को पत्तों के हिलने से ज़्यादा कुछ भी सुनाई नहीं दिया। बोरियत के इन पलों में जीतू ने अपने जेब से रूम की चाभी निकाली और पेड़ की छाल को खुरचकर अपना नाम लिख दिया।

जीतू बोला- ''भैया, अब हो गई तुम्हारी जासूसी, तो चलें!! लेट हो गए तो और सूते जाएँगे।'' फिर छोटी उँगली से इशारा करते हुए बोला- ''और, बहुत तेज़ लग भी रही है। चलो बे, बस अब हो गया आज का।''

तन्मय की नज़र पेड़ पर लिखे जीतू के नाम पर पड़ी। वह जितेंद्र के 'द' में 'र' की मात्रा लगा रहा था।

तन्मय को कुछ तो सूझा। बोला- ''एक काम करते हैं, अब यहाँ तक आ ही गए हो, तो मोहब्बत को पता भी चलना चाहिए कि तुम यहाँ आए थे।''

जीतू ने सवालिया निगाहों से तन्मय को देखा।

तन्मय ने झट से बैग से एक पन्ना और पेन निकालकर जीतू की ओर बढ़ा दिया- ''जीतू! अब जो मैं कह रहा हूँ उसको ध्यान से सुन और उसमें अपनी अक़्ल बिलकुल मत लगाना, चुपचाप जो कह रहा हूँ वो कर दे। Let the expert take the charge now.''

जीतू की निगाहों से सवाल बाहर निकल-निकलकर कूदने लगे।

''ये पेपर लो और इसमें 'निहारिका , I love you' लिखकर गर्ल्स हॉस्टल के अंदर फेंक दो और नीचे अपना नाम मत लिखना... !''

''भक साले! अभी तक तो फ़र्स्ट सेमेस्टर की सारी किताबें भी नहीं ख़रीदी हैं और तुम साले कॉलेज से निकलवाओगे क्या ?'' यह कहते हुए जीतू दो क़दम पीछे हट गया।

''तुम ज़िंदगीभर बस फटटू ही बने रहना, भो*** के।''

तन्मय ने ग़ुस्से से जीतू की ओर देखा और ख़ुद ही पेपर पर 'निहारिका , I love you' लिखकर नीचे एक मुस्कराता हुआ स्माइली बना दिया।

उसने बग़ल में पड़े एक पत्थर पर उस पेपर को लपेटा और जीतू के हाथ में थमा दिया।

काफ़ी देर तक भी जब जीतू नहीं माना, तो तन्मय बोला- ''अच्छा एक बात बताओ, जानते हो भगत सिंह ने असेंबली में बम क्यों फेंका था ? इसलिए कि सब उनकी आवाज़ सुन सकें। कुछ भी करना हो तो बताना पड़ेगा न कि हम क्या करना चाह रहे हैं। अब किसी को सपना तो आएगा नहीं कि भगत सिंह अँग्रेज़ों को भारत से भागना चाहते थे या फिर जीतू को प्यार हो गया है निहारिका से। अबे बताना पड़ता है, अपनी आवाज़ पहुँचानी पड़ती है सामने वाले तक।''

जीतू का चेहरा हल्का-हल्का लाल-सा होने लगा, पर आँखें बता रही थीं कि उसको तन्मय की बात कुछ-कुछ समझ आ रही है। और वैसे भी, आज तक जीतू ने किसी लड़की तक अपनी आवाज़ नहीं पहुँचाई थी।

तन्मय आगे बोला- ''और ये काग़ज़ ही तुम्हारी आवाज़ है। कसकर फेंको दीवार के उस पार और पहुँचा दो आवाज़ निहारिका तक। और वैसे भी, नाम तो लिखा नहीं है तो फँसने का कोई ख़तरा नहीं। अभी आवाज़ पहुँचा दो, एक-दो दिन में धीरे से उस आवाज़ में अपना नाम भी लगा देना।''

जीतू ने हाथ में पकड़े पत्थर के ऊपर लिपटे काग़ज़ की तरफ़ देखा। काग़ज़ को खोलकर कुछ देर तक निहारता रहा। धीरे-धीरे एक मुस्कान होंठों पर खिंचने लगी।

फिर मुस्कराते हुए तन्मय को देखते हुए बोला- "सुन न, इसमें एक दिल भी बना दूँ? वो तीर वाला?"

तन्मय झुँझलाते हुए बोला- "एक काम करो, दिल ही क्यों, अपनी जन्मकुंडली भी बना दो इसमें, बस-ट्रेन का नंबर भी लिख दो जो तुम्हारे घर जाती हो, अपने पूरे मोहल्ले का नक्शा बना दो इसमें तुम। अबे, अभी सिर्फ़ आवाज़ पहुँचानी है। भगत सिंह ने क्या किया था!"

तन्मय बोलता ही रहा, जीतू सुनता ही रहा कि तभी जीतू ने अपना हाथ हवा में लहरा दिया। जीतू की मोहब्बत की आवाज़ काग़ज़ में लिपटकर गर्ल्स हॉस्टल की दीवार के पार जाने के लिए निकल पड़ी और अगले ही पल, जवाब में वहाँ से एक ज़ोर की आवाज़ आई- "छनाक!"

छत से आने वाली आवाज़ें जो अभी तक सिर्फ़ तन्मय को सुनाई दे रहीं थी, वो अब जीतू को भी पास आती सुनाई देने लगीं। दोनों ने गर्ल्स हॉस्टल की तरफ़ देखा। पत्थर हॉस्टल की दीवार पार करने की जगह, कुछ आगे बढ़कर खिड़की के काँच पर जा लगा। काग़ज़ ने आधे रास्ते में ही पत्थर की दोस्ती छोड़ दी थी और हवाओं के साथ अठखेलियाँ करता हुआ ज़मीन की ओर आ रहा था।

तन्मय ने जीतू को धक्का देते हुए कहा- "भाग जीतू!"

जीतू ने पहली बार तन्मय की कोई बात एक बार में ही मान ली। दोनों दौड़ पड़े।

"अपना मुँह छिपाकर भागो, कोई पहचान गया तो कांड हो जाएगा!" तन्मय ने भागते हुए कहा और अपने बैग से अपने चेहरे को साइड से ढँक लिया। देखा-देखी जीतू ने भी अपने बैग से अपना चेहरा छुपा लिया।

दोनों दौड़ते ही चले गए।

पीछे से "क्या हुआ?", "कौन था?" जैसी आवाज़ें आती रहीं, लेकिन दोनों दौड़ते रहे।

जब पीछे से आने वाली आवाज़ें काफ़ी पीछे छूट गईं, तो दोनों ने बैग के

पीछे से झाँककर एक-दूसरे को देखा और खिलखिलाकर हँस पड़े।

दौड़ने से साँस फूल चुकी थी, सो हँसी में कोई आवाज़ नहीं थी।

दोनों मुँह खोलकर बिना आवाज़ ही हँसते रहे, हँसते रहे और दौड़ते रहे।

सीधे फ़र्स्ट ईयर हॉस्टल के पास जाकर ही रुके।

हाँफते-हाँफते तन्मय बोला- "आज तो मरवा दिया था जीतू तूने।"

जीतू ने भी अपनी साँसें थामी।

"अरे यार, हवा से खिड़की की तरफ़ चला गया... और तुम ही तो तीलियाँ सुलगाए जा रहे थे कि बारूद बनो, धमाका करो, आवाज़ पहुँचनी चाहिए।" फिर थोड़ा-सा घबराते हुए तन्मय से पूछा- "अबे, किसी ने देख तो नहीं लिया हम लोगों को?"

"अब जो भी होगा वो तो कल ही पता चलेगा, लेकिन अभी तो यहाँ का हिसाब-किताब देखना है।" तन्मय ने हॉस्टल की तरफ़ इशारा किया।

हॉस्टल के गेट पर पर सन्नाटा था और कोई चहल-पहल भी नहीं थी। देखते ही समझ आ गया कि परेड चालू हो चुकी है।

परेड का नाम भी परेड नहीं था।

सीनियर्स इसको इंट्रोडक्शन सेशन (Introduction session) कहते थे, तन्मय इसे भसड़ कहता था और कॉलेज मैनेजमेंट -जब किसी की शिकायत न आ गए तब तक- इसे कुछ भी नहीं कहता था।

मक़सद यह था कि जूनियर्स और सीनियर्स एक-दूसरे को जान सकें, सीनियर्स अपने अनुभव जूनियर्स के साथ बाँट सकें। पर होता यह था कि सारे जूनियर्स को हॉस्टल के लॉन में एक लाइन में खड़ा करके सीनियर्स के सामने हमेशा कमीज़ का थर्ड बटन देखने को कहा जाता, नाचने-गाने और चुटकुले सुनाने को कहा जाता, सीनियर्स को भैया-दीदी की जगह सर-मैम कहना सिखाया जाता, ऊटपटांग कविताओं और नज़्मों का पाठ करवाया जाता।

कुल मिलाकर तुनकमिज़ाज जूनियर्स में एक आदर्श इंजीनियर के सारे गुणों को ठूँस-ठूँसकर भर दिया जाता था। और जिन्हें आदर्श इंजीनियर बनने में दिक़्क़त होती थी, ऐसे अड़ियल जूनियर्स की परेड में सिर्फ़ छँटाई होती थी... सुताई और कुटाई हॉस्टल के बाहर वाले ढाबों में की जाती थी।

इधर हॉस्टल की तरफ़ देखकर जीतू के चेहरे की हवाइयाँ उड़ गईं।

''यार, ये मोहब्बत के चक्कर में लेट हो गए। आज तो गेट पर ही धर लिए जाएँगे।''

फिर तन्मय को देखता हुआ बोला- ''एक तो पूरे दिन बस ये ही याद करते रहो कि किस कमरे में कौन रहता है, कौन-सी ब्रांच में है, कहाँ से है? अबे... इंजीनियर बनने आए हैं कि डाकिया? ऊपर से कल एक और कविता थमा दी थी याद करने के लिए, वो भी याद नहीं है मुझे तो... आज तो ढाबे में बुलवाया जाएगा, पक्के से...!

''गुप्ता, तुम बहुत ही बरबाद आदमी हो साले। मुझे चुपचाप चाय पीने निकल जाना चाहिए था। तुम्हारे 'एक काम करते हैं' के चक्कर में कांड कर आए और अब यहाँ पर लेट... और ऊपर से कविता भी याद नहीं कर पाया।''

तन्मय थोड़ा-सा चिढ़कर बोला- ''तुम्हारा फिर से वही रोना-गाना चालू हो गया। कल वाली तो छोटी-सी है... चार लाइन की, मिनटभर में याद हो जाएगी। अच्छा सुनो... एक काम करते हैं।''

''भक साले! भाड़ में जाए तुम्हारा 'एक काम करते हैं'। इतने में मन नहीं भरा तुम्हारा? मरवाकर ही मानोगे क्या?''

''सुन तो लो एक बार...!'' तन्मय ने अपनी बात पर ज़ोर देते हुए कहा।

उसने बताया कि मेस के छज्जे पर चढ़कर, ऊपर वाले बाथरूम के पास वाली बालकनी में निकलेंगे और फिर धीरे से जहाँ ग्रुप डांस चल रहा होगा, उस भीड़ में घुस जाएँगे।

मरता क्या न करता, जीतू मान गया। तन्मय मेस की तरफ़ बढ़ने लगा।

''बेटा, पकड़े गए न, तो हम दोनों से शूर्पणखा-शाहरुख़ वाली रामलीला करवाएँगे। अच्छा सुनो, वो कल वाली कविता तो याद करवा दो ज़रा।'' जीतू पीछे से बोला।

''टनकपुरी वो गाँव वो बस्ती है, जहाँ...'' तन्मय ने एक साँस में वो कविता सुना दी और सुनाते-सुनाते उसकी हँसी छूट पड़ी।

''क्या? क्या? क्या? कौन, किससे सस्ती है?'' जीतू ने जितना भी सुना, वो सुनकर हँस पड़ा और जो नहीं सुन पाया वो पूछ लिया।

तन्मय ने जीतू के कान में कविता की लास्ट लाइन फुसफुसा दी। दोनों पागलों की तरह हँसने लगे।

''अबे कुछ भी कहो... अपने सीनियर्स हैं तो बहुत हरामी, पर मज़ेदार भी हैं।'' जीतू किसी तरह से अपनी हँसी पर क़ाबू करते हुए बोला। तन्मय भी मुस्करा दिया।

दोनों मेस के पीछे वाले खिड़की के छज्जे पर चढ़ गए, ऊपर बाथरूम के बग़ल वाली बालकनी से निकले। जीतू बाथरूम की ओर बढ़ने लगा। उसने मुँह बनाकर बताया कि बहुत तेज़ लग रही है, लेकिन तन्मय ने उसका हाथ खींच लिया। दोनों सिर झुकाकर सेकंड फ्लोर के कॉरिडोर से निकलने लगे। तभी तन्मय को एक रूम का दरवाज़ा हल्का-सा खुला दिखा और वो झट से उस रूम में घुस गया और साथ ही उसने जीतू को भी घसीट लिया। कमरे की लाइट बंद थी। अंदर हल्की-सी रोशनी ही थी, जो बाहर कॉरिडोर से आ रही थी।

''अबे, ये क्या कर रहे हो?'' जीतू ने सकपकाते हुए, धीमी आवाज़ में तन्मय से पूछा।

''सब तो नीचे हैं, यहीं चुपचाप बैठ जाते हैं, किसी को पता भी नहीं चलेगा। और वैसे भी आधे घंटे में सारे सीनियर चले जाएँगे।'' तन्मय ने अपना प्लान बताया।

दोनों वहीं बैठ गए। हँसी भी आ रही थी और डर भी लग रहा था।

तभी जीतू ने टेबल की ओर इशारा करते हुए तन्मय से पूछा- ''ये मेरठ वाले सौरभ और नितिन का रूम है न? ये भी दारू-बियर पीते हैं क्या?''

टेबल के कोने में एक बियर की खुली बोतल रखी हुई थी।

तन्मय ने टेबल की तरफ़ देखा। जीतू कुछ और कहता, इससे पहले ही तन्मय फुर्ती से उठा और बियर की बोतल मुँह से लगा ली।

जीतू की हँसी छूट पड़ी।

''अबे, थोड़ी तो छोड़ दो उनके लिए, सब मत पी लेना। बहुत बड़े वाले कमीने हो बे तुम, गुप्ता।''

बियर पीते-पीते तन्मय की भी हँसी छूट पड़ी। क़रीब आधी बोतल ख़ाली कर देने के बाद उसने उसे वापस रख दिया।

अगले कुछ पल दोनों मुँह पकड़कर हँसते रहे।

फिर दोनों शाम से लेकर अभी तक की बातों को याद करते रहे, फुसफुसाते रहे और बिना आवाज़ की हँसी हँसते रहे।

थोड़ी देर में ही उन दोनों ने अपनी बातों की एक दुनिया बना ली।

दुनिया, जहाँ निहारिका ने ख़ुद आकर जीतू से कह दिया कि वह उसके बिना नहीं रह पाएगी।

दुनिया, जहाँ तन्मय ने अपने मम्मी-पापा को ख़ुद की कमाई से मर्सिडीज़ गिफ़्ट कर दी।

दुनिया, जहाँ जीतू की लाल बत्ती वाली कार के आगे लिखा है- भारत सरकार।

दुनिया, जहाँ तन्मय, पूजा मैम के बॉयफ्रेंड को चड्डी में दौड़ा रहा है पूरे कॉलेज में।

फिर उनकी इस दुनिया में चार क़दम और आ गए।

तन्मय ने आँखों ही आँखों में जीतू से पूछ लिया- 'तेरे रिश्तेदार हैं क्या?'

जीतू ने भी आँखों ही आँखों में जवाब दे दिया- 'रिश्तेदार होंगे तेरे?'

दोनों की आँखें चौंक गईं।

ये चार क़दम उन दोनों की दुनिया के नहीं थे और उनकी ओर ही बढ़े चले आ रहे थे।

दोनों डर गए।

क़दमों की आहट के साथ बात करने की आवाजें भी जुड़ गईं।

"किसके कमरे में छोड़ आया बे, बियर की बोतल?"

"अरे वो हैं न... दुबला-पतला, छुटकू-सा लौंडा, मुरादाबाद वाला..."

"मुरादाबाद या मेरठ वाला?"

"हाँ... ऐसी ही किसी जगह से है, उसी के कमरे में रह गई होगी।"

"40 या 41 नंबर कमरा हैं उसका... चलो देखते हैं। वैसे, हो तुम बड़े वाले... दो हफ़्ते पहले अपनी बाइक की चाभी महेश के ढाबे पर खो दिए थे और अभी बियर छोड़कर चले आए किसी के कमरे में।"

इधर दोनों के पसीने छूटने लगे।

तन्मय और जीतू समझ रहे थे कि 41 नंबर वाले सौरभ और नितिन में से किसी की बियर होगी वो। परेड का बुलावा आया होगा, तो जल्दी में बियर को टेबल पर छोड़कर ही चल दिए। पर अब समझ में आया कि जिस बियर की बोतल को तन्मय ने आधा ख़त्म कर दिया था, वो किसी सीनियर की है, जो शायद इस रूम में रैगिंग लेने आए होंगे और जाते समय बोतल ले जाना भूल गए।

तन्मय और जीतू, दोनों ही परेड में जाने की जगह किसी रूम में छुपकर बैठे हुए थे, उस पर तन्मय ने सीनियर की आधी बियर भी पी ली थी। सीनियर भी इधर ही आ रहे थे।

पकड़ा जाना तय था।

ढाबे पर बुलाया जाना तय था।

कस के सुताई होना तय था।

अगले कई दिनों तक कूटा जाना भी तय था।

जीतू ने बियर की बोतल की तरफ़ देखा, फिर दबी आवाज़ में तन्मय से कहा– ''एक काम करते हैं...''

तन्मय का मुँह खुला का खुला रह गया... और जीतू ने बियर की बोतल के सामने जाकर पैंट की चेन खोल दी।

सीनियर्स ने रूम नंबर 40 खोला, बियर की बोतल वहाँ नहीं थी। उधर उन्होंने रूम नंबर 40 का दरवाज़ा बंद किया और इधर रूम नंबर 41 में जीतू ने अपनी पैंट की चेन।

बियर की बोतल में अब उतनी ही बियर थी, जितनी तन्मय के बियर पीने से पहले थी।

सीनियर्स ने रूम नंबर 41 के दरवाज़े को धक्का दिया।

''अबे ओय, तुम लोग यहाँ क्या कर रहे हो?'' एक सीनियर ने जीतू और तन्मय की तरफ़ देखते हुए कहा।

जीतू और तन्मय, दोनों ही ज़मीन पर मुर्ग़ा बने हुए थे।

दोनों ने वैसी ही स्थिति में जवाब दिया– ''गुड इवनिंग सर!''

''खड़े हो जाओ।'' एक सीनियर ने कहा। उसकी साँसों से दारू-बियर की महक हवा में जा मिली।

दोनों सिर झुकाकर, अपनी कमीज़ के लाल वाले बटन को देखते हुए खड़े हो गए।

''यहाँ क्या कर रहे हो?'' उसी सीनियर ने पूछा और दूसरा सीनियर बियर की बोतल की तरफ़ बढ़ गया।

''सर, वो एक सर ने यहाँ मुर्ग़ा बने रहने को कहा है आधे घंटे के लिए।'' तन्मय ने सिर झुकाए हुए, थोड़ा घबराते हुए कहा।

''तुम तो बसंती हो न... आज नहीं चल रहा है तुम्हारा मुज़रा?'' पीछे वाले सीनियर ने बियर की बोतल हाथ में ली और जीतू से पूछा।

जीतू ने 'बसंती' नाम सुना और नाचने लगा।

पीछे वाले सीनियर ने बोतल मुँह में डाली और दो घूँट बियर के पी गया।

तन्मय की हँसी छूट पड़ी।

'' साले तुम्हें बड़ी हँसी आ रही है उसके नाचने पर!'' आगे वाले सीनियर ने तन्मय की कॉलर पकड़कर झकझोर दिया। ''चलो, तुम भी नाचो इसके साथ।''

तन्मय भी जीतू के साथ नाचने लगा।

कोई लय नहीं, कोई ताल नहीं, मानो गर्मी से तपी टीन की चादर पर किसी ने दो बिल्लियाँ छोड़ दी हों।

''सुनो जाओ, तुम दोनों लॉन में जाकर नाचो, सबके साथ। दौड़कर जाओ।'' पीछे वाले सीनियर ने कहा और फिर से बियर के दो घूँट गले के नीचे उतार दिए।

''थैंक यू सर।'' तन्मय और जीतू ने एक साथ कहा और दौड़ते हुए कमरे के बाहर निकल गए।

दोनों एक साँस में दौड़ते रहे कॉरिडोर में... जब तक कि रूम नंबर 40, उनके 400 क़दम पीछे न छूट गया।

तन्मय ने जीतू को देखा और जीतू ने तन्मय को।

दोनों खिलखिलाकर हँस पड़े।

''अबे शक्ल देख पाया क्या? कौन था जिसने बियर पी?'' तन्मय ने दौड़ते हुए धीरे से जीतू से पूछा।

''तेरी पूजा का बॉयफ्रेंड होगा।'' जीतू ने धीरे से मुस्कराते हुए कहा।

दोनों ज़ोर से हँस पड़े।

दौड़ने से साँस फूल चुकी थी, सो हँसी में कोई आवाज़ नहीं थी। दोनों मुँह खोलकर बिना आवाज़ ही हँसते रहे। हँसते रहे और दौड़ते रहे!

कॉरिडोर के सामने की बालकनी से सूरज नीचे उतर रहा था। शाम का पीला-लाल रंग दोनों की आँखों में पिघलने लगा।

कुछ शामों में प्यार होता है, कुछ में जज़्बात... कुछ शामों में मस्ती होती है, कुछ में शरारत... और जिन शामों में ये सब होता है, वो शामें फ़ितूरी होती हैं...!

कुछ रिश्ते उड़ते हुए ही अच्छे लगते हैं

इस इतवार को तक़रीबन एक साल हो जाएगा।

मैं अब वो घर बदल चुका हूँ, जहाँ पहले रहा करता था। तनख़्वाह भी तक़रीबन दुगनी हो गई है तबसे। और तो और, गुप्ता आंटी भी कहती हैं कि मैं अब पहले से अच्छा दिखने लगा हूँ।

तीन महीने पहले ही पार्क की इन बेंचों पर नया पेंट हुआ है, शाम को नई सड़क की तरफ़ से अच्छी धूप आती है इन पर...!

पिछले महीने मैं घर गया था। और हाँ, शायद पिछले चार दिनों में मैंने तुम्हें एक बार भी याद नहीं किया! परसों ऑफ़िस से लौटते हुए एक बार याद आई थीं तुम... पर बस स्टॉप पर भीड़ के एक धक्के के साथ तुम्हारी यादों की कतरनें भी बिना सिमटी हुई ही, बिखर गईं। दो-तीन कतरनें बमुंश्किल अगले स्टॉप तक गई होंगी। और फिर क्या हुआ कुछ याद नहीं!

आज वो कतरनें इस हिलते हुए फूल से लटकती नज़र आईं। अभी-अभी एक तितली उड़ी थी इस फूल से। लो, अब वे कतरनें भी नीचे जा गिरीं उस

फूल से। ये तितलियाँ भी न !

पिछले एक साल से यूँ ही ये कतरनें कहीं घूमती, टहलती, इतराती, इठलाती, बलखाती, शरमाती, ग़ुस्साती, मुँह चिढ़ाती, किसी मोड़ पर यूँ ही मुड़ जाती हुई कभी छत के छज्जे पर, कभी सूखे कपड़ों से आती साबुन की ख़ुशबू में, बटर लगे ब्रेड के टुकड़े पर, दही-कढ़ी खाते हुए आई हिचकी में और कभी बेवजह ही मेरे हाथों में चिपकी धूल-सी जम जातीं। और कभी उँगलियों के पोरों से यूँ फिसल जातीं, मानो मैं उन्हें जानता ही नहीं !

......

नेहा कहती है कि मुझमें सबसे अच्छी बात यह है कि मैं अब तुम्हें भूल चुका हूँ। मुस्कराते हुए कभी ऐसा नहीं लगता कि मैंने तुम्हें कभी याद भी किया हो ! पर तुम्हें पता है मिनी... ''अच्छा छोड़ो वरना तुम कहोगी कि अब तो सुधर जाओ !''

लो, तुम्हारी यादों की एक और कतरन जा गिरी ज़मीन पर। एक और फूल से, जिस पर से एक तितली उड़ी थी अभी-अभी !

तुम सच कहती थीं, मैं नहीं सुधरूँगा। तभी तो फिर से गिरी हुई कतरन उठा, मैंने कुर्ते की ऊपर वाली जेब में रख दी !

अलग हो जाने के 14 महीने बाद आज मुझे ये नहीं कहना चाहिए। पर अगर मैं इन समेटी हुई कतरनों को जोड़ दूँ, तो उससे बुनी शॉल में सिमटे हुए हम नवंबर की सर्द रातों में भी नई सड़क के चौराहे तक यूँ ही टहल सकते हैं मानो कल ही की बात हो।

मैंने बहुत बार चाहा कि ये शॉल हमें यूँ ही समेटे रहे। पिछली बार तुम दो हफ़्तों के लिए मिल भी गई थीं। मैं मुंबई आया था तुमसे मिलने।

तुम्हें पता है, तुम बहुत अच्छा हँसती हो।

मुझे लगा ही नहीं कि तुम्हारे जाने के तीन महीने बाद मैं तुमसे मिल रहा हूँ। मुझे नहीं पता यह तुम्हारा प्यार था या हमारा रिश्ता, जो नेहा के आने के बाद भी तुम दबी-सिमटी ही सही, पर मुस्कराती हुई मनी-प्लांट के पत्तों-सी मेरे कमरे में ही रहीं !

मैं तुमसे मिलते रहना चाहता था। फिर से आ जाना चाहता था तुम्हारी ज़िंदगी में, ये जानते हुए भी कि अब हमारे घरों की खिड़कियाँ गली के एक

ओर नहीं खुलती हैं।

तुम नाराज़ थीं मुझसे और अब स्वप्निल भी था तुम्हारे साथ। लेकिन फिर भी तुम्हें इस बात से दिक़्क़त थी कि मैं एक बार फिर बिना नहाए ही मिलने चला आया तुम्हें।

हम घूमे...

फिर से मिले...

और तुमने मेरी नई शर्ट की तारीफ़ भी की थी उस दिन।

तुम रोई थीं चौथी शाम को यह कहते हुए कि तुम अब शायद न लौट पाओ... पर तुम आज भी अच्छा सोचती हो मेरे लिए! मैं आज भी एक अहम ख़बर हूँ तुम्हारे लिए, बस अख़बार पुराना हो चुका है... नई सुबह की नई चाय नए अख़बार के साथ ही अच्छी लगती है।

......

फिर तुम नहीं आईं। मैं भी बेंगलुरु चला गया नई जॉब में।

बेंगलुरु मेरे लिए दिल्ली जैसा नहीं था। वहाँ पर लोग चाय के साथ केले खा लेते हैं। नया घर था, नया काम, नई शिफ़्ट, नए लोग, नई बसें, नए स्टॉप...

और नेहा के फ़ोन भी बराबर आते रहते थे। फिर ठीक पाँच महीने बाद तुम्हारा फ़ोन आया, यह बताने के लिए कि ऋचा का इंजीनियरिंग में एडमिशन हो गया है। ऋचा तुम्हारी छोटी बहन थी, जो मुझे 'जीजू-भैया' कहकर बुलाती थी। भैया इसलिए कि मैं अच्छा था और जीजू इसलिए कि मैं उसकी दीदी को पसंद था।

वो इतनी छोटी भी न थी कि रिश्ते न समझ पाए, पर जिओमेट्री में हाइपरबोला के सवाल उससे कभी नहीं बने। तुम्हारे जाने के बाद ऋचा ने भी मुझसे बात करना बंद कर दिया। पर क्योंकि मैंने उसे महीनों मैथ्स पढ़ाई थी, इसलिए तुमने ये बताना ज़रूरी समझा कि ऋचा अब ख़ुश है और उसकी मैथ्स की रफ़ कॉपी भी।

मैंने तुम्हारा हाल पूछा और निकल पड़ीं बातें! एक कतरन फिर एक और कतरन मेरी पूरी जेबें भर गईं तुम्हरी यादों की कतरनें समेट-समेटकर। चाह लिया फिर से इन कतरनों का दुपट्टा बना, ढँक लूँ तुम्हारे सिर को और फिर

हल्के से गिरा दूँ तुम्हारे कांधे पर।

मैं आज भी तुम्हें पाना चाहता था और ये तलब उस वक़्त से भी ज़्यादा थी, जब तुम मेरे साथ थीं। काश तुमने ये न कहा होता कि 'अच्छा होता हम आज भी एक साथ होते।'

मैं छलक जाना चाहता था फिर से तुम पर एक बार और ऐसा लगा कि तुम भी उमड़ने को तैयार हो। पर शायद अब पैमाने बदल चुके थे। मेरे पैमाने छलके, तो मैं भीग गया, पर कुछ छींटे नेहा पर पड़े तो आँसुओं और बहसों का सिलसिला चल पड़ा।

ग़लत मैं था, वह नहीं!

मुझे ही वक़्त के साथ पुराने हो चुके जूठे चम्मचों को दुबारा नहीं धोना चाहिए था, जब कोई और अपने हाथों से एक-एक कौर खिलाने के लिए सामने बैठा हो। शायद मैं ज़िंदगी को मिनी के चम्मच से ही खाना चाहता था।

रोते बिलखते जब नेहा ने चम्मच फेंका, तो मिनी के किचन के सारे बर्तन गिर गए। और ऐसे गिरे कि स्वप्निल ने उन गिरे हुए बर्तनों में खाने से इनकार कर दिया। मिनी के आँसू भी उन बर्तनों से मेरी जूठन साफ़ न कर सके। उँगलियाँ ऐसी उठी मिनी पर कि अपने साथ उँगली से सगाई की अँगूठी भी ले उतरीं!

तबसे वो रो-रोकर अपनी उँगली से अँगूठी के निशाँ और बर्तनों से मेरी जूठन साफ़ कर रही है कि कहीं फिर से कभी मेरे छलकते पैमाने उसकी ज़िंदगी के सन्नाटे को शोर में न बदल दें।

मिनी अब मुझसे बात नहीं करती। घरवालों से भी बोल दिया है कि कह देना, वो घर पर नहीं है, शायद फ़ोन नंबर भी बदल दिया है उसने।

चार हफ़्ते पहले मेरी नेहा से शादी हो गई। कार्ड मिनी को मेल करके भेजा था, लेकिन शादी तक कोई जवाब नहीं आया। शादी के दिन मैंने बहुत फ़ोटो खिंचवाईं, मुस्करा-मुस्कराकर। बहुत अच्छे लग रहे थे मैं और नेहा शादी के दिन!

नेहा बहुत ख़ुश थी उस दिन। वो वाक़ई बहुत प्यार करती है मुझसे। पर शादी के तीन दिन बाद ही उसने बता दिया कि आज हम एक बिस्तर पर हैं, क्योंकि इससे घरवाले ख़ुश हैं... पर वो बीवी बन पाएगी कि नहीं, ये यह बात

तय करेगी कि मैं मिनी को कितना भुला पाया हूँ।

मेरे छूते ही वो काँप उठती है। उसकी आँखों में अपने लिए एक घिन देखी है मैंने।

मैंने दो दिल तोड़े!

एक का उसकी शादी होने से पहले और एक का उसकी शादी होने के बाद। मैं ऐसा तो नहीं चाहता था।

अब फूलों पर दो कतरनें लटकती हैं। एक मिनी की, एक नेहा की। आदतन मुझे इन बिखरी कतरनों को समेटना ही होगा। सोचता हूँ कि अब से दो जेबों वाला कुर्ता पहनकर आया करूँगा इस पार्क में। पर ये कमबख़्त तितलियाँ समेटने से पहले ही फूल हिलाकर इन कतरनों को नीचे गिरा देती हैं। कतरनों पर ज़मीन की धूल लग जाती है, जो मुझे पसंद नहीं। तो क्यों न इन तितलियों को ही पकड़ लूँ पहले? और वैसे भी बहुत ख़ूबसूरत होती हैं ये!

तितलियों को पकडूँगा, फूलों पर से यादों की कतरनें समेटूँगा और फिर छोड़ दूँगा। तितलियाँ फिर से उड़ जाएँगी किसी फूल पर बैठने के लिए। बस रह जाएगा उनके ख़ूबसूरत परों का कच्चा रंग मेरी उँगलियों पर। तितलियाँ तब शायद उतनी अच्छी नहीं लगेंगी, उनका कच्चा रंग जो मेरी उँगलियों पर रह जाएगा।

......

ये रिश्ते भी तितलियों की तरह होते हैं। ताउम्र ज़िंदगी के एक फूल से दूसरे फूल पर बैठते रहते हैं... और जाते-जाते यादों की कतरनें बिखेर जाते हैं। यादें बिखर जाने के डर से अगर इन्हें पकड़ो, तो एहसासों के कच्चे रंग उँगलियों पर रह जाते हैं। रिश्ते तब उतने अच्छे नहीं लगते।

मैंने एक बार जब पकड़ना चाहा, तो दो रिश्ते मेरी उँगलियों पर छूट गए। मैं तो बस यादें समेटना चाहता था रिश्तों के रंग छीनना नहीं।

तो क्यों न यूँ ही ज़िंदगी के फूलों पर रिश्तों की तितलियों को उड़ता देखता रहूँ। क्योंकि गर समेटने बैठा, तो जेबें कम पड़ जाएँगी एक दिन... और तितलियों को पकड़ा, तो उनके रंग छूट जाएँगे।

तितलियाँ उड़ती हुई ही अच्छी लगती हैं...

और कुछ रिश्ते भी!

पतंगें

निशातगंज।

गोमती के किनारे, सड़क के दोनों ओर फैली हुई सात गलियों का नाम।

आपस में अठखेलियाँ करती हुई गलियाँ कब आगे बढ़कर एक-दूसरे को गले लगा लें, पता ही नहीं चलता, मानो किसी बच्चे ने ग़ुस्से में आकर उलझी हुई कोई डोर गोमती के किनारे फेंक दी हो!

हर एक गली का अपना एक मिज़ाज है, अपना एक तकल्लुफ़ अपना ही अंदाज़! कहीं कुरान की आयतें गूँजती हैं, कहीं मीनाकारी ख़ुद पर इतराती है, तो कहीं काली स्याही पन्नों में लोटती-गिरती रहती।

इन्हीं गलियों में दो बूढ़े हाथ भी थे, जो काँच के चूरे को डोर पर घिसते रहते थे। काग़ज़ के रंग-बिरंगे टुकड़ों को कुछ यूँ जोड़ते कि बच्चों की टोली वहाँ न हो ऐसा मैंने कभी नहीं देखा।

काग़ज़ के उन रंग-बिरंगे टुकड़ों के कुछ नाम भी थे– पान तारा, चाँद तारा, चिरैया, बेगम, कनकौवा... और न जाने क्या-क्या! गफ़ूर मियाँ उनको इन्हीं नामों से बुलाते थे।

ठीक से याद नहीं आता, पर जब दूरदर्शन पर 'शांति' आता था तब वो सत्तर पार रहे होंगे। ईद की सेवइयों जैसी उनकी झक स.फ़ेद दाढ़ी, छत से टपकती हुई पानी की बूँद-सी पथराई आँखें और बदलते लखनऊ के दर्द को समेटे उनकी ख़ाली मटके-सी आवाज़।

ग.फ़ूर मियाँ की एक छोटी-सी गुमटी थी। पतंग और सद्दी-मांझा बेचते थे वो। ख़ुद ही पतंगें बनाते, ख़ुद ही मांझा घिसते। दो पीढ़ियों से ये पतंगें ही ग.फ़ूर मियाँ के घर के चूल्हे को आग दे रही थीं।

मोहल्ले के सारे बच्चे शाम को उनकी दुकान पर डेरा मारे रहते थे। ग.फ़ूर मियाँ जब ख़ुश होते थे, तो कभी कभी पतंगें या मांझा यूँ ही बिना पैसे लिए दे दिया करते थे। बस शर्त यह होती थी कि हमें ग.फ़ूर मियाँ की बातें सुननी होंगी। और किसी की भी निगाह अगर ज़रा भी इधर-उधर हुई नहीं कि बस ग.फ़ूर मियाँ की ताने भरी एक और कहानी शुरू!

ग.फ़ूर मियाँ की बातें पतंगों से ही शुरू होतीं और दुनिया जहाँ घूमकर पतंगों पर ही ख़त्म हो जातीं। और बातें भी ऐसी कि डोर का एक छोर पकड़ो तो दूजा छूट जाए। सि.र्फ़ उनके ख़ुश हो जाने का लालच ही हमें उनकी बातें सुनने को मजबूर करता था

......

कहते थे- "तुम सब क्या जानो, इन काग़ज़ के टुकड़ों में भी रूह होती है मेरे बच्चों...

एक शान, एक हया, एक नज़ाकत, जो कई मलिकाओं और शहज़ादियों को भी नसीब नहीं होती! जब झूमती हैं, तो पूरा आसमाँ देखता है इन्हें। जब हवा में गुलाटी लेती हैं, तो बादल भी आह भरते हैं! अरे ज़मीं पर तो सब राज कर लेते हैं, आसमाँ पर कैसे हुकूमत चलती है, ये कोई इन पतंगों से सीखें!"

हाथ मांझा घिसते ही रहते थे बिना रुके। "जिसे देखो सीना तानकर सैर पर निकल पड़ा है, मानो अहले-वज़ीर हो किसी रियासत का... एक नंगी तलवार लेकर हाथ में कि जो भी मिले बस ज़मींदोज़ कर दे उसे!...

"अरे, उन बेअक़्लों को यह भी नहीं पता कि मैदान अगर जीतना ही है,

तो पहले झुकना सीखो, हवा का रुख़ पहचानो, फिर सही वक़्त पर बढ़ जाओ आगे। गोया और क्या चाहिए मैदान जीतने के लिए, फिर वो चाहे चौखट के बाहर का मैदान हो, चाहे अंदर का।''

यह कहते हुए धीरे से एक हलकी-सी मुस्कान ग़फ़ूर मियाँ के चेहरे पर बिखर जाती थी, जिसकी वजह कुछ दिनों पहले ही ज़िंदगी ने बताई है मुझे।

फिर कहते- ''अब इन पतंगों को ही देखो। अगर पेंच जीतने हों, तो कभी जल्दबाज़ी मत करो। सामने-सामने लड़ोगे तो तुम भी हार सकते हो, फिर चाहे कितना ही अच्छा मांझा क्यों न हो। ढील दो... बहने दो कुछ देर हवा के साथ, झुकने दो, थोड़ा लहराने दो,और... और फिर जब सामने वाला सीना तानकर सामने आए, बस दिखा दो कि क्या हो तुम। जान लगा दो डोर खीचने में... आसमाँ तुम्हारा होगा!

''पर हाँ, डोर खींचने के लिए हाथों और फेफड़ों में जान होनी चाहिए, जो वक़्त के साथ धीरे-धीरे आ जाती है बस हुनर जानना ज़रूरी है! मैदान मारना है, तो झुकना भी आना चाहिए... और ये पतंगों से अच्छा कौन बता सकता है।''

बीच में अपने गाल पर लटकी उलझी हुई सेवइयों को सुलझाते हुए कहते- ''पर हाँ, कभी पेंच जीतने के लिए मांझा दोहरा करके पतंग मत उड़ाओ। यक़ीनन तुम पेंच जीत जाओगे, पर वो सुकून न मिलेगा जिसके लिए तुमने पेंच लड़ाया था। ये भी हो सकता है कि रशीद, छुट्टन, हामिद, सब तुम्हारे हुनर-ए-पेंच की वाहवाही करें, पर कहीं न कहीं यह बात कचोटती रहेगी कि तुमने दोहरा मांझा लगाया था या मांझे पे गाँठें मारी थीं।

''रूह को कभी भारी मत होने दो। उड़ने दो उसे पतंग की तरह खुले आसमाँ में। जितने पाक करम होंगे, उतनी ही सुकूनज़द रूह होगी, ठीक वैसी ही तस्कीन मानो तुम कनकौवा उड़ा रहे हो और बाक़ी छोटी पतंगें तुम्हारी शान को सलामी दे रही हों! बुरे करम तुम्हारी रूह की पतंग को गीला कर देते हैं। फिर कितना ही पैबंद लगा लो, वो बात नहीं आती। और फिर पतंग फट जाती है एक रोज़! जानते हो, दर्द ज़्यादा कब होता है? जब उड़ती पतंग के पैबंद धोखा दे जाते हैं...!''

''और तू कभी अपने नाख़ून चबाना बंद न करना जाहिल कहीं का...''

कहते हुए ग़फ़ूर मियाँ की काँच के चूरे और रंग से सनी उँगलियाँ मेरे सिर पर पड़तीं। और मैं बालों को सही करता हुआ दरवाज़े के पीछे छिपी बिल्ली की तरह बड़ी-बड़ी आँखों से उनकी तरफ़ देखता।

"और हाँ, कभी हत्था नहीं मारना। काफ़िरों की निशानी है ये। पतंगबाज़ी की तौहीन! नीचे से धोखा देकर पेंच काटने में मज़ा नहीं है। है दम तो जाओ हवा में... सामने जाकर आगाह करो सामने वाले को कि तुम आ रहे हो, सामने-सामने मैदान मारो तब कोई बात है।"

वो कहते ही चले जाते- "जो पतंगों के जानकार हैं, जिन्हें वाक़ई मोहब्बत है पतंगबाज़ी से, वो पेंच कटने के बाद डोर नहीं समेटते। हाथ से तोड़ देते है ख़ुद ही अपनी डोर को! चार आने की डोर के लिए अपनी हार के एहसास को और मत बढ़ाओ। जब पेंच लड़ाओ, तो भी अपने अंदाज़ और पाक तरीक़े से और अगर हार भी जाओ, तो शान से क़ुबूल करो। अगर डोर समेटने के चक्कर में रहोगे, तो बस डोर ही समेटते रह जाओगे। डोर खो देने का डर तुम्हें कभी दूर तक पतंग उड़ाने का मज़ा नहीं लेने देगा... और वो उड़ान ही क्या जो दूर तक न हो, खुले आसमाँ के पार तक न हो, हवा की सारी तहों के ऊपर तक न हो।"

बातें कब कहाँ से कहाँ पहुँच जाती थीं, हमें कभी समझ में नहीं आता। बस हम तो ग़फ़ूर मियाँ के तिकल्ले का इंतज़ार करते रहते कि कब वो हमें सद्दी देकर कहें कि जाओ, अब पतंग उड़ाओ... वो भी बिना पैसे लिए!

पर कभी कभी ग़फ़ूर मियाँ रुकने का नाम ही नहीं लेते और ये भी न लगता कि आज बिना पैसों के डोर मिलने की उम्मीद है। तब मैं बीच में उनको टोककर कहता- "अच्छा ये बताइए ग़फ़ूर चचा, इतनी अच्छी बातें आपको किसने बताईं?"

ग़फ़ूर मियाँ की आँखों में एक अनजानी-सी चमक आ जाती, कहते- "हाँ! कुछ मेरी ज़िंदगी ने मुझे बताया और कुछ मेरे अब्बू ने।"

और तब मैं खिलखिलाकर कहता- "ग़फ़ूर चचा... आप ख़ुद इतने बूढ़े हो और आपके अब्बू भी हैं? यक़ीन नहीं होता!"

बस फिर क्या... ग़फ़ूर मियाँ सद्दी का एक गोला मेरी पीठ पर मारते हुए कहते- "मर जा, दोज़ख की आग में, नामुराद दफ़ा हो यहाँ से।"

हम सब वहाँ से भाग जाते, पर कभी भी फेंकी हुई सद्दी का वह गोला उठाना नहीं भूलते। हमें तो बस फोकट की सद्दी चाहिए होती थी, फिर चाहे पतंगबाज़ी की शान रहे न रहे। और चाहे रूह को सुकून मिले न मिले!

......

गई सरकार के साथ ग़फ़ूर मियाँ भी इस दुनिया से रुख़सत हो गए दो साल पहले। मैं अब भी पतंग उड़ा रहा हूँ ज़िंदगी के आसमाँ में! कभी कुछ पेंच कटे मेरे, और कई पेंच काटे भी मैंने। पर धीरे-धीरे पेंच काटना इतना ज़रूरी हो गया कि मांझे दोहरे भी होने लगे... और हत्था मारना रूह की तौहीन है, ये बात भी कभी याद नहीं आई!

बस आसमाँ में अपनी पतंग उड़ती रहे, यही बात दिमाग़ में रहती... चाहे कुछ भी हो जाए!

कई बार पैबंद लगाकर भी पतंग उड़ाई और पेंच कटने पर कभी भी डोर समेटना नहीं भूला, चाहे चार आने का ही सही, फ़ायदा तो है न! बस, मांझे कैसे और तेज़ और मज़बूत हों, इसी उधेड़बुन में वक़्त कटता रहा।

सुकून, खुला आसमाँ, ज़िंदगी की शान... ?? इनके बारे में सोचूँ, इतनी फ़ुर्सत ही कहाँ है। लोग सिर्फ़ आपकी पतंग देखते हैं। जितनी ऊँची पतंग, उतनी ही ऊँची शान!

कितने पेंच काटे आपने, ये तय करता है आपकी हैसियत। फिर चाहे मांझे दोहरे किए हों या आपने हत्था मारा हो, कोई फ़र्क नहीं पड़ता!

कभी सोचता हूँ तो लगता है कि पेंचों की गिनती के आगे रूह गीली हो चुकी है। न कोई सुकून है, न कोई फ़ख्र। बस गिनतियाँ बढ़ती जा रही हैं!

पर क्या करूँ?

अगर मैं मांझे दोहरे नहीं करूँगा, तो कोई और करेगा। मैं हत्था नहीं मारूँगा, तो कोई दूसरा मुझे काट देगा। और हर किसी ने ग़फ़ूर मियाँ की बातें थोड़े न सुनी हैं!

ज़िंदगी उलझ गई है, पतंग की डोर की तरह। एक सिरा सुलझाऊँ, तो दूसरा उलझ जाता है। अब तो सुलझाने का मन भी नहीं करता। सच कहूँ तो हिम्मत भी नहीं बची है।

बस पतंग उड़ती रहे!

जब छोटा था, तब ग़फ़ूर मियाँ की बातें कभी समझ में नहीं आईं। कुछ बातें अब वक़्त ने सिखा दी हैं, कुछ अभी बाक़ी हैं। समझ में नहीं आता कुछ भी। रूह की शान भी ज़रूरी है और पेंचों की गिनती भी! कशमकश जारी है।

पर हाँ... इतना समझ में आ गया है कि कभी-कभी बूढ़ी आँखों का झुकना भी वो कह जाता है, जिसे सीखने में तमाम उम्रें गुज़र जाती हैं।

पतंगें आज भी उड़ रही हैं!

झूठा सच

कभी गरम कड़ाही से निकलती हुई पूड़ी देखी है?

खौलते हुए तेल में से जब भभक के बाहर आती है, तो चेहरा देखो आप उस पूड़ी का। ठीक वैसा ही चेहरा लिए पाठक, सफ़ेद और नारंगी रंग की पट्टी वाला तौलिया लपेटकर बाहर निकला। बाथरूम के दरवाज़े से कमरे तक का सफ़र उसने यूँ तेज़ी से पूरा किया कि पायदान को भी लगा होगा कि कान के बग़ल से गोली 'सूँ' करके निकल गई।

लपक के अलमारी में लगे शीशे के सामने जाकर थमा। और ''फिर ले आया दिल, मजबूर क्या कीजे'' गुनगुनाते हुए ख़ुद को थोड़ी देर तक निहारता रहा।

जब भगवान ने दिया था, तो चेहरा और पेट सब अच्छा ही दिया था। लेकिन फिर न जाने कैसे, किसी ने मैदे में ख़मीर मिला दिया और हर गई रात के साथ पेट भी भटूरे के आटे जैसा फूलता गया। साँस रोक लो तो पिचक जाए, छोड़ो तो फक्क से वापस बाहर।

हालात बिगड़ तो रहे थे, लेकिन इतने भी नहीं बिगड़े थे कि इमरजेंसी

लगा दी जाए। ग्रुप फ़ोटो में साँस रोककर काम चल रहा था और प्रोफ़ाइल पिक्चर के लिए ज़ूम करके लिया हुआ, चेहरे का क्लोज़-अप। कुछ कमी-बेसी रह जाए, तो फेसबुक, इंस्ट्राग्राम ने ख़ुद इतने फ़िल्टर दे रखे हैं कि रोडवेज की खटारा बस भी मेट्रो की तरह चमक जाए।

पाठक को शीशे के सामने मज़ा नहीं आया। खिड़की के पास जाकर उसने पर्दा खिसका दिया, कमरे में अब थोड़ी लाइट और बढ़ गई थी। फिर अपने मोबाइल का फ्रंट कैमरा ऑन किया और हर एंगल से ख़ुद को निहारा।

वैसे, आजकल के कैमरों में ये तो बात है कि माहौल कैसा भी हो, फ़ोटो चौकस खींचते हैं। कम से कम आईने से तो अच्छा दिखा ही देते हैं सामने वाले को।

शुरुआत के कैमरे ऐसे नहीं थे, जैसा होता था, वैसा ही खींच देते थे। धीरे-धीरे कैमरे समझदार हो गए। पर ये आईने शुरू से अभी तक बस सच्चाई ही दिखाते रहे, कभी समझदार न हो सके।

वैसे, ग़लती अकेले आईनों की ही नहीं है। अब ज़माना भी बदल गया है। आजकल के ज़माने में सच्चाई और समझदारी बहुत आगे तक साथ-साथ कहाँ चल पाती हैं।

ख़ैर, जब पाठक को तसल्ली हो गई कि नहाना बर्बाद नहीं गया, तो उसने बिस्तर पर पड़ी एक पॉलीथिन को उठाया, पॉलीथिन के अंदर पड़ी टी-शर्ट को साइड किया और उसके नीचे दबे चश्मे के डिब्बे को निकाला। नीले रंग का चश्मा, वैसे ही जैसा क्रिकेट प्लेयर्स लगते हैं, चमकदार और पोलराइज़्ड। पहनकर फ़ोटो खिंचवाओ, तो खींचने वाले की फ़ोटो भी चश्मे में आ जाए।

उसने चश्मे को कानो के ऊपर फँसाया, हाथों से बाल सही किए और बाहर लिविंग रूम की तरफ़ बढ़ा।

"ओए अवस्थी, कैसा लग रहा है भाई तेरा?"

अवस्थी, लिविंग रूम की खिड़की से सटा हुआ, बाहर की तरफ़ मुँह किए हुए था। हाथ खिड़की से बाहर निकाल वो फ़ोन देख रहा था। किसी का मैसेज-वैस्सेज चेक कर रहा होगा।

"अवस्थी!" पाठक, अवस्थी के थोड़ा पास आया और ज़ोर से आवाज़ लगाई।

"अबे धीरे बोल ले ज़रा। साले, झटके से फ़ोन नीचे गिर जाता, तो किडनी बिकवा देता तेरी ।"

पाठक ने अवस्थी की बात सुनी कि नहीं सुनी, ये तो पता नहीं, पर कमर पर दोनों हाथ रखे और हँसते हुए इतना बड़ा मुँह खोला कि कम से कम 24 दाँत तो कोई यूँ ही गिन दे। फिर भौंहों को दो बार उठाकर अपने चश्मे की तरफ़ इशारा करते हुए बोला- "कैसा लग रहा है भाई तेरा ?"

"क़तई चूतिया! चमन चूतिया!" अवस्थी बोला।

पाठक हँसते हुए बोल - "अवस्थी बेटा, जलो मत, बराबरी करो!" और फिर रूम की तरफ़ चल दिया।

"कितने का लिया ?" अवस्थी ने पाठक की ओर देखे बिना पूछा।

"हा-हा, अबे तुम क्या करोगे जानकर ? तुम्हारी तो सुरमई आँखें ही काफ़ी हैं लौंडियों के लिए। देख भर लो, तो लड़की ढेर।"

पाठक जाते-जाते पलटा और फिर अवस्थी की ओर फ्लाइंग-किस फेंकता हुआ बोला- "साढ़े छह हज़ार, ओकले ओरिजिनल, कार्बन फ्रेम!"

अवस्थी ने पाठक की फ्लाइंग-किस को बग़ल से जाने दिया और बोला- "वॉशरूम का हो गया तेरा, तो मैं जा रहा हूँ।"

'वो जो अधूरी-सी बात बाक़ी है', गुनगुनाते हुए, अवस्थी को बिना जवाब दिए पाठक अपने रूम में चला गया। अवस्थी ने भी अपना फ़ोन चार्जिंग पर लगाया और नहाने चला गया।

.....

पाठक फरवरी के आख़िर में मुंबई आया था। 70-80 लड़के-लड़कियों को, जिनका दिल्ली के ऑफ़ कैंपस में सिलेक्शन हुआ था, मुंबई पोस्टिंग दी गई। कंपनी ने एक गेस्ट हाउस में ठहराया था चार दिनों के लिए। एक रूम में तीन लड़के। उसके बाद जिसको जहाँ प्रोजेक्ट मिले, वह अपने हिसाब से खिसक ले।

पहले दिन सब अपने हिसाब से आ रहे थे। जो जितने बजे मुंबई पहुँचा, उसी हिसाब से गेस्ट हाउस में आता रहा। दिन तक गेस्ट हाउस आदिमानवों के शरणार्थी कैंप-सा लग रहा था। पर यहाँ पर भी मानव ने धीरे-धीरे विकास किया और शाम ढलते-ढलते, छोटे-छोटे समूहों के समाज में ढल गया।

दिनभर में कुछ की कुछ से जान–पहचान हुई, कुछ पहले से एक–दूसरे को कॉलेज से जानते थे, तो कुछ ऑफ–कैंपस की लाइन में रेज़्यूमे लिए अपने दु:ख–सुख बाँट चुके थे।

शाम होते होते दो–तीन से लेकर सात–आठ तक के झुंड में लोग खाने की तलाश में निकल पड़े। कुछ पंजाबी ढाबे की ओर बढ़ गए, कुछ ने इडली–डोसे को चुना, तो कुछ चाउमीन–मंचूरियन के लिए अगले सिग्नल तक चल पड़े। कुछ ऐसे भी थे, जिन्होंने खाने से पहले चाय–सुट्टे का हाजमोला लेना ज़्यादा ज़रूरी समझा और फिर 5–10 मिनट बाद अपने झुंड में वापस शामिल हुए।

पाठक भी अपने झुंड के साथ खाना खाकर वापस आ रहा था कि उसकी नज़र गेस्ट हाउस के गेट के पास ही एक ठेले पर पड़ी, जिसको आठ–नौ लड़कियाँ घेरकर खड़ी थीं। लड़कियों का ऐसा घेरा या तो सुबह–सुबह सोमवार को शिव मंदिर में दिखता है या फिर शाम को गोलगप्पे के ठेले पर।

पाठक भी ठहरा भोले–भंडारी का भक्त। सोमवार की सुबह तो वो ट्रेन में था, लेकिन शाम को उसका 'कर्तव्य' उसको गोलगप्पे के ठेले की ओर खींच ले गया।

गोलगप्पा यहाँ पानीपूरी कहलाता था, पर पाठक को इससे क्या। ठीक वैसे ही, जैसे वैष्णव मत को मानने वाले को इससे कोई फ़र्क नहीं पड़ता कि कौन 'गोविंद' बोलता है और कौन 'गोपाल'।

पहली पंगत हटी तो, नई पंगत में पाठक भी शामिल था। गोलगप्पे वाले के पास सबकी कस्टमाइज़ डिमांड सुनने का टाइम तो था नहीं, तो उसने सबको एक–एक दोना थमाया और एक साँस में सबसे पूछ गया– ''मीठा कि तीखा?'' और सबने दोना पकड़ते हुए अपनी पसंद बतला दी।

पंगत में पाठक बाएँ से सातवें पर था। पाठक अभी ख़ाली दोना हाथ में लिए पाँचवें को पानीपूरी खाते देख ही रहा था कि दूसरे वाले की आवाज़ आई– ''जलजीरे के पाउडर में सिर्फ़ पानी मिला दिया है क्या... ? ना सौंफ, ना नींबू, ना सोंठ, ऊपर से गरम अलग?'' यह अवस्थी था।

पाठक ने हल्के से अपनी बाईं तरफ़ देखा, पर तभी उसके दोने में पानीपूरी आ गिरी। उसने झट से पानीपूरी मुँह में डाली और डालते ही समझ गया कि दूसरे नंबर वाला पारखी आदमी है। जब तक पाठक ने पानीपूरी गले ने नीचे

उतारी, तब तक पहले वाले का नंबर दूसरी बार आ चुका था।

दूसरे पर आते हुए पानीपूरी वाले ने पूछा- ''मीठी चटनी ?''

'' ना...! मीठा वाला लास्ट में, बिना पानी के। सिर्फ़ दही-चटनी।''

पाठक ने इस बार क़तार से गर्दन बाहर निकालकर दूसरे नंबर वाले को देखा। हाथ में एक इंच चौड़ा लाल रंग का कलावा देख पाठक समझ गया कि हो न हो, दूसरे नंबर वाला पारखी, गंगा मैया से 50-60 किलोमीटर की रेडियस से ही होगा।

पंगत ने छह पानीपूरी खाकर 20 रुपए पकड़ाए और अगली पंगत को रास्ता दे दिया। दो लड़कियाँ अगली पंगत में भी डटी रहीं।

गोलगप्पे निबटाने के बाद पाठक गेस्ट हाउस के गेट की तरफ़ चल पड़ा। उसने देखा कि दूसरे नंबर वाला पारखी भी गेस्ट हाउस के अंदर ही आ रहा था।

क़रीब डेढ़ बजे रात तक गेस्ट हाउस में चहल-पहल सी रही। घरवालों से बात क़रीब साढ़े दस बजे तक सबकी निपट गई थी। कुछ, अपने होने वाले घरवाले और घरवालियों से 12-1 बजे तक भी कोना पकड़कर बतियाते रहे। कुछ अपने झुंड में मगन थे, तो वहीं कुछ झुंडों ने अपने दायरे को बड़ा किया।

कुल मिलाकर दिनभर के आँधी-तूफ़ान और बारिश की धमा-चौकड़ी के बाद, गेस्ट हाउस के वातावरण में सन्नाटा पसर गया।

अगली सुबह अलसाई ज़रूर थी, लेकिन झट से फुर्तीली हो गई। नौ बजे तक सभी अपने-अपने जत्थे के साथ, रिपोर्टिंग ऑफ़िस की ओर निकल पड़े।

वहाँ पर सबको एक बड़े-से हॉल में बैठाया गया। एक-एक करके सबकी ॥क्रा के सामने हाज़िरी लगी और फिर प्रोजेक्ट एलोकेशन के बाद रवानगी।

पाठक के लेटर पर लिखा था- ODC: 3rd, floor : 2nd, conference room: Alpha.

कॉन्फ्रेंस रूम में 4 लोग पहले से ही बैठे हुए थे। तीन लड़के और एक लड़की। ये लोग वो थे जिनकी हाज़िरी या तो पाठक से पहले लग गई थी या

फिर ये लोग पाठक की तरह कॉन्फ्रेंस रूम ढूँढ़ने के चक्कर में पिछले 20 मिनट से भटक नहीं रहे थे।

पाठक अंदर दाख़िल हुआ और बिना किसी से हाय-हैलो किए एक चेयर पर बैठ गया। अगले पाँच-सात मिनट तक कॉन्फ्रेंस रूम गुपचुप-सा ही रहा और फिर आया छठा बंदा।

दरवाज़ा खुलने पर पाठक ने नज़रें उठाकर देखा और देखते ही पहचान गया कि वो वही 'दूसरे नंबर वाला पारखी था', जो कल गोलगप्पे की दुकान पर होशियारी झाड़ रहा था। पर जब पाठक को लगा कि ये भी उसके प्रोजेक्ट में आ गया है, तो ''होगा साला, अपने घर का'' सोचकर अपने काग़ज़ों को सही करने में लग गया।

अवस्थी ने भी किसी को हाय-हैलो बोले बिना एक कुर्सी थाम ली।

फिर अगले 10 मिनट तक रूम में सन्नाटा ही रहा। तभी, सातवें और आठवें नंबर पर एक साथ एंट्री हुई दो लड़कियों की।

अमूमन एक सुंदर बंदी के साथ वाली लड़की उससे थोड़ा कम सुंदर होती है। पर यहाँ दिवाली का ऑफ़र फ़रवरी में आ गया था। सफ़ेदी की जगमगाहट से रूम भर गया। दोनों ही बराबर की सुंदर- थोड़ा उन्नीस-बीस रही भी होंगी, तो भी क्या करना!

वैसे भी 15 से ऊपर की हर बंदी सीधे 20 की ही होती है!

पाठक ने एक ही नज़र में रूम में बैठे पाँच बंदों को देखा। दो को ख़ुद से ही रिजेक्ट कर दिया, बचे तीन। जिस प्रोजेक्ट में वो जाएँगे, उसके 10 बंदे और आसपास वाले प्रोजेक्ट के पाँच-छह पकड़ लो। राउंड फिगर में हुए 20।

पाठक ने पहली साँस में ही समझ लिया था कि भले ही इन दोनों का पहले से बॉयफ्रेंड हो या शादी की बात भी तय हो चुकी हो, लेकिन ये 20 राजकुमारों के बीच स्वयंवर करवा ही देंगी।

पाठक ने झट से आँखें बंद कीं, धनुष पर तीर चढ़ाया और मछली की आँख भेद दी। बाक़ी 19 राजकुमार मुँह झुकाए उदास खड़े थे। पाठक ने वाइट शर्ट वाली को बाक़ी 19 राजकुमारों के लिए छोड़ दिया और वाइट सूट पर ऑरेंज दुपट्टे वाली के गले में वरमाला डाल दी!

वाइट सूट में ऑरेंज दुप्पटे वाली ये बंदी थी, मोनिका।

तभी एक बंदा कॉन्फ्रेंस रूम में आया। जिस प्रोजेक्ट में पाठक को allocate किया गया था, उसका एक टीम लीड।

"वेलकम टू द फलाना प्राजेक्ट" से शुरुआत की, अपने बारे में बताया, फिर सबसे उनके बारे में पूछा, प्रोजेक्ट के बारे में बताया और बाद में उन सबको प्रोजेक्ट के बाक़ी लोगों से मिलवाने ले गया।

क़रीब एक घंटे तक "वेलकम टू द प्रोजेक्ट" एंड "नाइस टू मीट यू" चला, फिर उस टीम लीड ने कहा- "You all can take rest now. From tomorrow, we will start the project orientation."

उसके बाद सब वापस कॉन्फ्रेंस रूम में आ गए, अपने-अपने बैग लेने के लिए।

अब माहौल पहले जैसा नहीं था। सब एक-दूसरे के बारे में थोड़ा-थोड़ा जान चुके थे और सबको पता था कि अब से आने वाले काफ़ी दिनों तक बाक़ी सातों के साथ ही लंच करना है।

सबने थोड़ी-सी जान-पहचान निकाली और फिर नए प्रोजेक्ट के कुछ लोगों की मिमिक्री कर चुगली करते हुए सब हँस पड़े।

"चलो तो गेस्ट हाउस में बैठकर बात करते हैं आराम से।" यह कहकर सबने ऑटो पकड़ा और गेस्ट हाउस की ओर निकल पड़े।

पाठक और अवस्थी ने कहा कि वे थोड़ी देर में आते हैं। दोनों की अब तक ज़्यादा बात नहीं हुई थी, लेकिन ऑफ़िस के बाहर दोनों बिना कुछ कहे ही सब समझ गए।

सुट्टा मारते हुए अवस्थी ने पूछा- "नोएडा से हो न तुम?"

"हाँ, और तुम?"

"इलाहाबाद।" पाठक की पारखी नज़रों ने कल ठीक ही अंदाज़ा लगाया था। दोनों ने इंजीनियरिंग ग्रेटर नोएडा के अलग-अलग कॉलेज से की थी।

फिर दोनों अपनी अपनी सोच की दुनिया में चले गए। पाठक ने वापस से अपनी काउंटिंग का हिसाब लगाया। प्रोजेक्ट वाले 10 की जगह चार कर लो, लेकिन आजू-बाज़ू के प्रोजेक्ट वालों को छह-सात से बढ़ाकर कम से

कम 10 करना पड़ेगा और अपने वाले तीन ही रहेंगे। हुए 17। राउंड फिगर में 20 कर लेते हैं।

अवस्थी भी खाँटी आदमी लग रहा है, ऊपर से मेरे से डेढ़-दो इंच फादिल है। वैसे, अच्छा ही किया जो वाइट शर्ट वाली को बाक़ियों के लिए छोड़ दिया। है तो वो भी लपक माल, लेकिन शायद मेरे टाइप की नहीं है... और ऊपर से नाम है- 'वासुकि'। कहीं कभी डस लिया, तो लेने के देने पड़ जाएँगे। पर मोनिका का पक्के से कोई बॉयफ्रेंड होगा। अबे होगा तो होगा!

''हाँ, कितना हुआ?'' अवस्थी ने 50 का नोट सिगरेट वाले की ओर बढ़ाते हुए कहा।

''अरे रुको, मैं देता हूँ।'' पाठक सोच की दुनिया से भागा-भागा इस दुनिया में वापस आया।

''कल तुम दे देना।'' मुस्कराते हुए अवस्थी, पाठक के कंधे पर हाथ रखकर बोला। पाठक भी मुस्करा गया।

दोनों ने हाथ देकर एक ऑटो रोका और गेस्ट हाउस की ओर चल पड़े।

थोड़ी देर बाद पाठक हँसते हुए बोला- ''तूने उसको देखा, वो पर्पल शर्ट वाला कैसे एक्सेंट में बोल रहा था। UK क्या घूमकर आया साला ऐसा शो-ऑफ कर रहा था, जैसे हम सबको ''डुगना लगान डेना होगा।''

अवस्थी भी खिलखिलाकर हँस पड़ा।

पाठक आगे बोला- ''पर भाई ये, मोनिका बड़ी कड़क है, तू देखियो कम से कम 20 लौंडे पीछे लग जाएँगे उसके कल से।''

अवस्थी ने न में सर हिलाते हुए कहा- ''20 तो नहीं, पर हाँ, 12-15 तो पक्के से।''

पाठक ने चौंककर अवस्थी को देखा। साला ये अवस्थी भी अपनी काउंटिंग करके बैठा है। इसका भी 17 ही आया होगा, लेकिन इसने राउंड ऑफ करके 15 लिया। बड़ा ही पॉजिटिव बंदा निकला साला ये इलाहाबादी!!

''सही है बेटा! बड़े महीन आदमी हो गुरु तुम, हाय-हैलो क्या हो गई, चादर बिछाकर बैठ गए तुम भी।'' पाठक ने अवस्थी के पैर पर हाथ मारते हुए कहा।

''वैसे, 'तुम्हारी पारखी नज़र और निरमा सुपर' दोनों को तो कल रात में

ही देख लिया था, जब तुम गोलगप्पे वाले को हौंक रहे थे।'' पाठक ने अवस्थी को बताया कि वो भी उसी पंगत में था।

फिर दोनों हँस पड़े।

कुछ देर बाद अवस्थी बोला- ''तुम्हारा कुछ प्लान न हो, तो कल रूम देखने चलें, ये लोग तो दो दिन में बाहर निकल देंगे।''

''हाँ ठीक है चलो।'' पाठक ने बिना सोचे हामी भर दी।

फिर बीच में इधर-उधर की कई सारी बातें। मुद्दे की बात यह कि कुछ दिनों बाद पाठक और अवस्थी एक रूम शिफ्ट हो गए। दोनों अब रूममेट थे।

तीनों लड़कियों को भी उसी बिल्डिंग के 5th फ्लोर पर रूम मिल गया। बाक़ी तीन बंदों में से एक ने अपने पुराने दोस्तों के साथ रहना बेहतर समझा और बाक़ी दोनों ने बग़ल वाले ब्लॉक में एक रूम ले लिया।

प्रोजेक्ट मिलने के बाद कुछ दिन बड़े भागम-भाग में बीते सबके। रूम सेट करना, बाल्टी-साबुन से लेकर गैस सिलिंडर का इंतज़ाम, उस पर प्रोजेक्ट में न जाने क्या-क्या ठूँसे जा रहे थे। अबे रसगुल्ले पसंद हैं, तो एक-एक करके खिलाओ न, एक साथ 20 मुँह में ठूँस दो तो घंटा मज़ा आएगा!

इस बीच साथ-साथ ऑफ़िस जाने, साथ में लंच और कभी-कभार साथ में डिनर का सिलसिला चलता रहा। सातों ने एक व्हाट्सएप्प ग्रुप भी बना लिया।

''यार अवस्थी, किसके साथ चिपके रहते हो बे दिनभर फ़ोन पर?'' पाठक, चाय का कप बग़ल में रखते हुए बोला- ''अबे वीकेंड है, चलो घूमकर आया जाए। साला तीन हफ़्ते हो गए हैं जुहू के बर्फ़ के गोले के अलावा कुछ नहीं देखा।''

''चलो, चलते हैं, आधा घंटा दे।'' पाठक को बिल्कुल भी उम्मीद नहीं थी कि अवस्थी एक बार में चीता बन जाएगा घूमने के लिए।

''अच्छा, सुन ना, 5th फ्लोर से भी पूछ ले न?'' शरारत से भर उठीं पाठक की आँखें।

''ये ऑफ़िस के आंडु-बांडु भी लाइन मारने लगे हैं इनको। भाई, मोहल्ले का माल मोहल्ले से बाहर नहीं जाना चाहिए! मोनिका से तो अपना सात जन्मों

वाला प्यार है। शिखा वैसे भी अरेंज मैरिज ही करेगी, तो उसको अभी साइड में रखते हैं। और तू वासुकि को पटा ले। दोनों नाग-नागिन की जोड़ी बना लेना, साले तू भी किसी साँप से कम थोड़े न है।'' पाठक ने हथेली से साँप का फन बनाया और अवस्थी को चिढ़ाते हुए बोला।

अवस्थी ने मुस्कराकर कहा- ''अबे, वासुकि का बॉयफ्रेंड है पहले से।''

''अच्छा है। वैसे भी तुझसे घंटा पटती वो... और मोनिका का?'' पूछते हुए पाठक की धड़कनें तेज़ हो गईं।

''उसका नहीं पता।''

''अच्छा ये बता, तू पहले से जानता है न मोनिका और वासुकि को?''

''जानता-वानता नहीं, बस जिस दिन मेरा इंटरव्यू था, उस दिन इन दोनों का भी उसी बैच में था। तो वहीं थोड़ी बातचीत हुई थी, बस।''

''अच्छा छोड़ ये सब, ज़रा मैसेज डालकर पूछ न कि वो भी चलेंगी क्या? जाएँगे ग्रुप का बहाना करके, फिर मैं और मोनिका वहाँ से डेट पर चले जाएँगे, और तुम चिल्लर पार्टी सीधे वापसी वाली लोकल पकड़ लेना।'' पाठक की आँखों में शरारत मटक उठी।

''ओय अवस्थी, पूछ ले न भाई, तेरी तो पुरानी जान-पहचान भी है।''

''भक बे, ख़ुद डालो मैसेज।''

''शेख चिल्ली साले, बातें करवा लो तुमसे बस।''

''अच्छा ये बताओ, सच में चलना है तो बाई को मना करना पड़ेगा दिन के खाने के लिए।'' अवस्थी ने चिढ़ते हुए कहा।

पाठक ने अँगड़ाई लेते हुए कहा- ''सच में चलना नहीं, आज तो सच में चलेंगे मैं और मोनिका हाथ में हाथ डाले, और तुम लोग देख-देखकर जलना!''

अवस्थी ने ठीक से सुना भी नहीं कि पाठक ने क्या कहा और उठकर किचन में चला गया। पतीली में थोड़ी-सी चाय बची थी। उसी में दूध डाला और गरम करने लगा। तभी पाठक बाहर से चिल्लाया- ''मेरी मोहब्त का जवाब आ गया! अवस्थी, तुम वहीं बर्नर पर बैठकर थोड़ा जला लो अपनी। ही-ही-ही।''

अवस्थी ने चाय अपने कप में पलटी और बाहर आया।

बाहर पाठक कुर्सी पर खड़ा, अपनी दोनों हाथों को फैलाए बोला– ''अगर किसी को सच्ची मोहब्बत से मैसेज डालो, तो सारी कायनात उससे रिप्लाई करवा ही देती है मेरे दोस्त!''

अवस्थी ने पाठक की तरफ़ देखा तक नहीं और खिड़की पर रखे अपने फ़ोन को उठाने चल दिया। फ़ोन देखा तो ग्रुप में 2 मैसेज आए थे।

''Awasthi and I are planning to have lunch outside. Wanna join ?''

''Where ?''

''पाठक, सुधर जाओ बे! अवस्थी लिखना ज़रूरी था?'' अवस्थी ने खीझते हुए कहा।

''अबे वो तो तुम अकेला न महसूस करो, इसलिए तुम्हारा नाम भी डाल दिया, वरना मैं कौन–सा कबाब में हड्डी साथ ले जाना चाह रहा था। अच्छा ये बताओ, Where का जवाब क्या दिया जाए? बैंड–स्टैंड बोल दूँ?''

फिर पाठक ख़ुद ही हँसते हुए बोला– ''पहली ही डेट, वो भी बैंड–स्टैंड, थोड़ा फ़ास्ट नहीं हो जाएगा? अच्छा चलो, एलीफैंटा चल लेते हैं। मैं 'एलीफैंटा' लिख देता हूँ। अवस्थी, तू रिप्लाई कर देना– great choice, I am in.''

अवस्थी ने पाठक को घूरकर देखा, पाठक दाँत निपोरता हुआ मैसेज टाइप करने लगा।

दो–चार मैसेज के बाद, जुहू जाना तय हुआ। घूमना भी हो जाएगा और वहाँ पर खाने के ऑप्शन भी ज़्यादा हैं।

''अवस्थी! तुम अपने फ़ोन की बैटरी चार्ज कर लो अच्छे से। आज तो जमकर फ़ोटो खींचनी है तुम्हें मेरी और मोनिका की जुहू बीच पर।'' यह कहकर दाँत दिखाते हुए पाठक तैयार होने के लिए चला गया।

अवस्थी फिर से अपने फ़ोन पर लग गया।

......

अवस्थी नहाकर बाहर आया और चार्जिंग पर लगे अपने फ़ोन को उठाकर अंदर कमरे में जाने लगा। पाठक ने अवस्थी को देखा और बोला– ''अरे यार,

ये साले अकड़ू-पकड़ू भी चिपक रहे हैं चलने के लिए।''

पाठक और अवस्थी 4th ब्लॉक वाले जतिन और पुनीत को इसी नाम से बुलाते थे।

''तो आने दे उनको भी। शाम को तुम और मोनिका डेट के बाद शादी करने तो जाओगे ही,

अकड़ू-पकड़ू विटनेस बनकर साइन कर देंगे तब।''

''हा-हा-हा, वैरी फनी!'' पाठक ने ग़ुस्से से कहा।

''तुम साले, जोक मारने का कोशिश भी मत किया करो, पूरे घर में बदबू भर जाती है। अभी तक तू ही कबाब में हड्डी था, अकड़ू-पकड़ू भी आ गए तो हड्डी का ही कबाब बन जाएगा।''

फिर भगवान जाने, पाठक ने कॉल करके जतिन को क्या गोली पकड़ाई कि उन दोनों ने बोला दिया- ''कुछ काम आ गया। You guys carry on.''

कुछ देर में अवस्थी तैयार होकर बाहर आया और कोने में रखे अपने जूतों की ओर बढ़ा।

''अकड़ू-पकड़ू का क्या हुआ?'' जूते उठाते हुए अवस्थी ने पाठक से पूछा।

''काट दिया उनको, नहीं आ रहे।'' पाठक ने अवस्थी को देखते हुए जवाब दिया और फिर मुस्कराते हुए बोला- ''वाह बेटा, शादी करने की सोच हम रहे हैं और सज तुम रहे हो राजा बाबू जैसे?''

अवस्थी भी जूते के फीते बाँधते हुए मुस्करा पड़ा। बोला- ''भाई, बराती भी तो अच्छे दिखने चाहिए न?''

तभी ग्रुप पर मैसेज आया- ''How much time? We are ready, let's meet downstairs in 5 mins?

''चल चल, मैसेज आ गया। और तू कुछ भी पहन ले साले, लगेगा तू बैंड वाला ही। बराती दिखने के ख़्वाब छोड़ दे। पूँपूँ-पूँपूँ बजा बस तू!'' पाठक मुँह बनाते हुए बोला। अवस्थी मुस्कराया और फिर दोनों नीचे चल दिए।

मोनिका, वासुकि और शिखा पहले से ही ग्राउंड फ्लोर की लिफ्ट के पास

खड़े पाठक और अवस्थी का इंतज़ार कर रही थीं। जैसे ही लिफ्ट नीचे आई, तीनों ने उसकी ओर देखा। पर इससे पहले कि कोई कुछ कहता, लिफ्ट से निकलते हुए पाठक बोला- ''सच में, लड़कियों को तो ज़माने ने बेमतलब ही बदनाम किया हुआ है...'' और पीछे खड़े अवस्थी की ओर देखते हुए बोला- ''देख ले अवस्थी, लड़कियाँ भी तेरे से पहले तैयार हो जाती हैं।''

तीनों हँस पड़ीं।

वासुकि ने पूछा- ''तो क्या प्लान है?''

इस बार अवस्थी मुस्कराते हुए बोला- ''कुछ नहीं, जुहू पर कुछ खाते-पीते हैं, थोड़ा घूमेंगे, फिर वहाँ से पाठक, मोनिका को डेट पर ले जाएगा और हम तीनों लोकल पकड़कर वापस।''

कहते-कहते अवस्थी की हँसी छूट पड़ी। वासुकि और शिखा भी खिलखिलाकर हँस पड़ीं।

मोनिका ''whaaaat?? You guys are too much...'' कहती हुई हँस पड़ी।

उधर पाठक को काटो तो ख़ून नहीं। मानो किसी पालतू बिल्ली के मुँह पर लगा दूध देख लिया हो उसके मालिक ने।

चारों अभी भी हँस रहे थे। पाठक अभी तक झेंप रहा था।

फिर अवस्थी को घूरते हुए पाठक बोला- ''ये मेरा रूममेट थोड़े न है। साँप पाल रहा हूँ मैं तो रूम पर, साँप।''

चारों, जो अभी तक हँस ही रहे थे, और ज़ोर से हँसने लगे।

किसी तरह हँसी रोकती हुई मोनिका बोली- ''अच्छा guys, let's go वरना लेट हो जाएगा।''

शिखा ने चुटकी लेते हुए कहा- ''मतलब आग दोनों ओर बराबर की लगी है। मोनिका भी लेट हो रही है डेट पर जाने के लिए।''

मोनिका, जो इतनी देर से हँसी रोकने की कोशिश कर रही थी, फिर से हँस पड़ी। चारों फिर से हँस पड़े। पाठक भी मुस्करा दिया इस बार।

मोनिका ने पाठक के कंधे पर हाथ रखकर कहा- ''चलो पाठक, हम लोग सच में डेट पर चलते हैं इन लोगों को यहीं हँसने दो।'' और वह थोड़ा आगे बढ़ गई।

पाठक वहीं खड़ा रहा। उसके चेहरे पर अभी गुलाबी रंग चढ़नी शुरू भी नहीं हुई थी कि अवस्थी बोला- ''अरे देखो-देखो, पाठक तो शरम के मारे शर्मा जी बन गया। क़तई संस्कारी लड़का है अपना!''

यह कहते-कहते अवस्थी हँस पड़ा। मोनिका ने भी पलटकर देखा और वो भी हँस पड़ी। पाँचों हँस पड़े।

तभी अवस्थी का फ़ोन आया।

''हाँ भैया। हाँ-हाँ, उस SBI वाले ATM के सामने से अंदर ले लो। हम गेट पर आ रहे हैं। चलो, कैब आ गई।'' कहते हुए अवस्थी गेट की तरफ़ बढ़ने लगा।

पाठक बोला- ''ये देखो अब, बस की छत पर झोला लेकर बैठने वाले लोग भी आजकल कैब बुक करवाने लगे है। और लोग कहते हैं- अच्छे दिन नहीं आ रहे हैं।''

तीनों फिर से हँस पड़ीं।

अवस्थी ने पीछे मुड़कर पाठक को देखा। पाठक ने हथेली से साँप का फन बनाकर अवस्थी को दिखा दिया। पाँचों फिर से हँस पड़े।

......

मुंबई के अपने कई रंग हैं। बैंड-स्टैंड में लोग प्यार तलाशते हैं, मरीन ड्राइव में सपने, तो जुहू में थोड़ा-सा सुकून।

जुहू के आसमाँ को कभी बंद आँखों से देखो। उसमें ख़्यालों के, मोहब्बत के, सपनों के, हक़ीक़त के कुछ बुलबुले तैरते मिल जाएँगे। उनमें पा लेने की छटपटाहट नहीं दिखती, सिर्फ़ मिल जाने का इत्मीनान।

मन छटपटाए तो जाकर लहरों में पाँव भिगो दो। सवाल दरवाज़े पर हों, तो नज़रें घुमा लो चारों ओर, ख़ुद-ब-ख़ुद कुछ जवाब टहलते मिल जाएँगे।

और भूख जब आहट करे, तो पाव भाजी, पानीपूरी, फालूदा की तरफ़ बढ़ जाओ।

पाँचों ने पाव-भाजी से शुरुआत की।

फिर मोनिका, शिखा और अवस्थी पानीपूरी की तरफ़ बढ़ गए, तो पाठक और वासुकि फालूदा की ओर।

काफ़ी देर तक पाँचों यूँ ही इधर-उधर टहलते रहे। कभी किसी मूवी की

बात कर ली, तो कभी ऑफ़िस की। कभी पैरों में लगी रेत झाड़ ली, तो कभी यूँ ही पानी में खेलते लोगों को देख लिया।

"भुट्टा खाएगा कोई?"

साइकिल के करियर पर अँगीठी लगाकर एक अधेड़ उम्र का आदमी भुट्टे बेच रहा था। उसके बग़ल से गुज़रते हुए पाठक ने सबकी ओर एक नज़र में देखते हुए पूछा।

"मैं तो नहीं, दाँतों में फँस जाता है मेरे तो..." कहते हुए मोनिका ने अपनी जीभ दाँतों पर घुमा ली।

वासुकि ने न में सर हिला दिया और शिखा बोली- "पूरा नहीं खा पाऊँगी।"

पाठक ने अवस्थी की तरफ़ देखा। अवस्थी भुट्टे वाले के पास आता हुआ बोला- "तीन ले लेते हैं, ये लोग थोड़ा-थोड़ा खाएँगी तो ठीक, वरना हम लोग खा लेंगे।"

"भईया तीन भुट्टे दे दो। नींबू अच्छे से लगाना।"

"हाँ भैया, नींबू रगड़कर लगाना, अवस्थी का बड़ा मन करता है आजकल खट्टा खाने का। बधाई हो तुमको, काका बनने वाले हो जल्दी ही।" पाठक ने अवस्थी को आँख मारी और भुट्टे वाले को देखते हुए बोला।

भुट्टे वाला सिर्फ़ मुस्कराया, पर तीनों खिलखिला उठीं।

"हम वहाँ जाकर बैठ रही हैं। तुम लोग अपने हिसाब से जितना नींबू लगवाना है, लगवा लो।" हँसते हुए वासुकि ने कहा और शिखा का हाथ पकड़कर एक ओर चल पड़ी। मोनिका भी मुस्कराती हुई उनके पीछे हो ली।

पाठक और अवस्थी भुट्टे लेकर उस तरफ़ आ गए, जहाँ तीनों बैठी थीं। पाठक बग़ल में बैठ गया और अवस्थी खड़े-खड़े ही भुट्टा खाने लगा।

शिखा ने चुटकी लेते हुए कहा- "अरे बैठ भी जाओ, इतना भी क्या ग़ुस्सा पाठक से।"

अवस्थी बिदककर बोला- "इस झींगुर से क्या ग़ुस्सा होना। एक मारूँगा तो भौंरा बनकर नाचने लगेगा। वो तो अंकल-आंटी का ख़्याल आ जाता है... इकलौता लड़का है उनका।"

"अरे-अरे, अवस्थी! ज़्यादा ग़ुस्सा मत करो यार, होने वाले पर बुरा

असर पड़ेगा। तुम भुट्टा खाओ आराम से, वो भी एक्स्ट्रा नींबू वाला।'' पाठक भी नींबू वाली बात छोड़ने को तैयार नहीं था। अवस्थी ने पाठक की बात को अनसुना कर दिया।

''अरे अवस्थी बैठ भी जाओ यार, लड़कियाँ बाद में ताड़ लेना। वैसे भी भुट्टा खाते हुए देखेगी, तो कौन लाइन देगी तुझे ? It's so middle class, Monisha.'' पाठक ने साराभाई वर्सेज साराभाई की रत्ना पाठक की मिमिक्री करते हुए कहा, तो तीनों हँस पड़ीं।

मोनिशा का ज़िक्र वासुकि को पाठक और मोनिका की बात पर ले आया। वासुकि ने मोनिका को कोहनी मारी और पाठक की ओर देखते हुए पूछा- ''पाठक, तुम तो आज मोनिका को डेट पार ले जाने वाले थे। क्या हुआ उसका ? कहो तो हम लोग वापस चले जाते हैं and then Monika and you can enjoy beautiful sunset at Juhu alone.''

Alone बोलते हुए वासुकि ने हवा में उँगलियों से quote बनाया और मोनिका को छेड़ती हुई बोली।

पाठक चुप ही रहा।

शिखा बोली- ''लगता है पाठक फिर से शर्मा जी बन गया।''

वासुकि हँस पड़ी, मोनिका भी मुस्करा दी।

पाठक ने अवस्थी की ओर घूरकर देखा और अवस्थी ने कंधे उचकाकर ऐसा दिखाया, जैसे इस बात से उसका कोई लेना-देना ही नहीं है।

वासुकि मज़े लेते हुए बोली- ''सच में शिखा, चल हम लोग चलते हैं। अवस्थी तुम भी चलो। पाठक शरमा रहा है हम लोगों के सामने।''

वासुकि की बात पूरी भी नहीं हुई थी कि शिखा बोली- ''सच में, पाठक अगर शर्मा जी बना रहा, तो मोनिका गुप्ता कभी मोनिका पाठक नहीं बन पाएगी।''

दोनों खिलखिलाकर हँस पड़ीं। मुस्करा मोनिका भी रही थी।

जैसे ही वो ये बोलने को हुई कि अब बस करो, तभी पाठक बोल उठा- ''इसमें शरमाने वाली कौन-सी बात है ? जब जिसको जो बोलना होगा, बोल दूँगा।''

अवस्थी ने पाठक की तरफ़ देखा और फिर मोनिका को।

वासुकि बोली– ''ये बात पाठक, आज बोल ही दो तुम, जिसको भी, जो भी बोलना चाहते हो।'' यह कहते हुए वासुकि ने फिर से हवा में quote बना दिया और मोनिका की ओर देख मुस्करा दी।

मोनिका ने हल्के से वासुकि के बाल खींचे और कहा– ''Ok guys, अब बहुत हुआ। Let's change the topic.''

पाठक ने, जो अभी तक बैकफुट पर खेल रहा था, अचानक से फ्रंटफुट पर आकर एक छक्का जड़ दिया। हँसते हुए बोला– ''लगता है मोनिका भी शरमा गई।'' फिर आँखें मटकाते हुआ बोला– ''तो मोनिका, क्या कहती हो?''

पाठक की धड़कनें ऐसे धक-धक् करने लगीं, जैसे गाँव की घुप्प अँधेरी रात में किसी ने डीजल वाला जनरेटर चालू कर दिया हो। पर उसने चेहरे पर हँसी और आँखों में शरारत बनाए रखी।

सबने मोनिका की ओर देखा और फिर पाठक के चेहरे को।

शिखा ने पाठक की पीठ थपथपाते हुए कहा– ''जियो मेरे शेर,'' फिर मोनिका की तरफ़ देखती हुई हँसी और बोली– ''मोनिका, जवाब तो दे दे पाठक की बात का।''

मोनिका भी मुस्कराती हुई बोली– ''अच्छा पाठक, अब तुम भी मिल गए इनके साथ। तो बताओ, क्या कहना है और किस बारे में?'' वह भी फ्रंटफुट पर खेलने के मूड में थी।

मोनिका की बात सुनकर पाठक की हँसी छूट गई। फिर थोड़ा सँभालते हुए बोला– ''अरे वही, शिखा नहीं कह रही थी कि मोनिका पाठक नाम सूट करता है तुम पर, उस बारे में।'' पाठक ने ताली मारने के लिए अवस्थी की तरफ़ हाथ बढ़ाया, लेकिन अवस्थी दोनों हाथों से भुट्टा पकड़कर खा रहा था।

शिखा ने फिर से पाठक की पीठ थपथपाई और शाबाशी देते हुए कहा– ''ज़बरदस्त!''

वासुकि ने भी पाठक को देखते हुए फ़िल्मी अंदाज़ में का– ''वाह-वाह-वाह पाठक, क्या बात है। 22 मार्च, जुहू चौपाटी, फ़ख़्र है।''

मोनिका ने साँस ली और इस बार बॉल को विकेटकीपर की ओर जाने दिया– ''Guys, we are good friends and for now, let it be like that only.''

पाठक अभी भी फ़्रंटफुट पर ही था। बोला– "मोनिका, सुन ना, फ़्रेंड ज़ोन करने की तो सोचना भी मत। वैसे 'for now' में तो hope है। एक काम करते हैं, जब तक 'मोनिका पाठक' नहीं जँचता, तब तक 'मोनिका और पाठक' कर लेते हैं। अब क्या बोलती हो ?"

"न-न-न-न। न ये न वो, बस जैसा है वैसे ही सब अच्छा है।" मोनिका ने हँसते हुए ही कहा।

पाठक, अवस्थी की ओर पलटा और बैंगन-सा मुँह बनाते हुए बोला– "अबे तुम अब भुट्टे का ठूँठ भी खा जाओगे क्या ? चौपाटी ने सब चौपट कर दिया भाई। भुट्टा छोड़, चल दारू लेने चलते हैं यहाँ से।"

मोनिका बोली– "ओ हो, पाठक, अब ऐसा मत बोलो। I feel bad"।

पता नहीं पाठक को मोनिका का मना करना इतना बुरा लगा भी कि नहीं, लेकिन मोनिका की आवाज़ ने सबको ख़ामोशी की चादर ओढ़ा दी। सब चुप हो गए। मोनिका थोड़ी दूर खड़े उस भुट्टे वाले को देखने लगी, जो अब किसी और के लिए भुट्टे सेंक रहा था। पाठक ने एक-एक करके अवस्थी, शिखा और वासुकि की तरफ़ देखा। मोनिका अभी भी उस ओर ही देख रही थी।

पीछे तीन घंटों में पहली बार इतना सन्नाटा था इन पाँचों के बीच।

पाठक ने फिर से मुस्कराहट की चादर हाथ पर लपेटी और ख़ामोशी की खिड़की पर ज़ोर से मुक्का दे मारा। बोला– "ऐ मोनिका, तुम भी कम नहीं हो। जब ख़ुद मज़े लेने हो तो ठीक, मैंने मज़ाक़ में कुछ कह दिया तो सीरियस हो गई। अवस्थी से पूछ लो, मैं तो कुछ भी कहता रहता हूँ।" फिर अँगड़ाई लेते हुए बोला– "वैसे भी, प्रोजेक्ट वाली श्रुति ने फ़्रेंड रिक्वेस्ट एक्सेप्ट कर ली है, बस कुछ दिनों की बात है फिर तो..."

पाठक ने एक नज़र में सबको फिर से देखा। सब चुप-से ही थे।

मोनिका ने पाठक की तरफ़ देखा और फिर मुस्कराती हुई बोली– "अच्छा, तभी तो मैं कहूँ कि आजकल बड़े डॉक्यूमेंट रिव्यु करवाए जा रहे हैं श्रुति से।"

जिस सन्नाटे को पाठक का मुक्का नहीं तोड़ पा रहा था, उसको मोनिका की मुस्कराहट ने तोड़ दिया।

पाठक ने भी उस मुस्कराहट का सहारा लेते हुए कहा– "और नहीं तो

क्या? वो तो मैंने सोचा कि तुमसे से पूछ लेता हूँ, कहीं बाद में अफ़सोस न करो कि यार, पाठक जैसा हैंडसम लड़का घूमता हमारे साथ था, और अब देखो किसी और के साथ घूम रहा है।''

मोनिका खिलखिलाकर हँस पड़ी- ''ऐसी सड़ी हुई लाइन बोलेगा न तू, तो श्रुति भी भाग जाएगी दो दिन में।''

वासुकि और शिखा सिर्फ़ हल्के से मुस्कराईं।

अवस्थी ने दूसरा भुट्टा शिखा की तरफ़ बढ़ाते हुए इशारों में पूछा कि क्या वो खाएगी। शिखा ने सिर हिलाकर मना कर दिया। अवस्थी ने भुट्टे को बीच से तोड़ा और आधा पाठक की तरफ़ बढ़ा दिया।

तभी मोनिका धीमे से आवाज़ देती हुई बोली- ''पाठक!''

पाठक ने मोनिका की ओर देखा। वह बोली- ''पाठक, सॉरी यार, it's not about you, it just about me.''

वासुकि ने मोनिका को देखा। पाठक भी मोनिका के चेहरे को ही देख रहा था।

''May be I am confused. Infact I am confused. और किसी को लेकर नहीं, और न ही किसी चीज़ से, बल्कि ख़ुद से। मैं ख़ुद से ही कन्फ्यूज़्ड हूँ।'' लंबी-सी साँस लेती हुई आगे बोली- ''ऐसा नहीं है कि मुझे प्यार-व्यार, गर्लफ्रेंड-बॉयफ्रेंड से कोई एलर्जी है, पर शायद I need some time for myself. Some time to arrange myself. पता है पाठक, एक बात बताती हूँ, Love at first sight तो हो सकता है, पर प्यार को आगे बढ़ने के लिए थोड़ा वक़्त लगता है और वह वक़्त भी सही होना चाहिए।''

वासुकि ने मोनिका के हाथ पर अपना हाथ रख दिया। अवस्थी और शिखा ने भी मोनिका की तरफ़ देखा। मोनिका ने अवस्थी की ओर देखा।

फिर मोनिका ने पलकें झुकाईं और सिर हिलाकर वासुकि को ये जता दिया कि उसे पता है, वह क्या कह रही है।

''You know what, मुझे एक लड़का पसंद था। हम दोनों एक-दूसरे को पसंद करते थे, पर वह वक़्त सही नहीं था। फिर कुछ दिनों बाद, कॉलेज में एक बंदे ने प्रोपोज़ किया and I said-Yes. बढ़िया दिन थे वे। लेकिन इस बार वक़्त तो सही था, पर बंदा नहीं।'' यह कहते-कहते मोनिका के होंठों पर

एक बेबसी की मुस्कान खिंच गई।

बेबसी, मुस्कान को ढँकने ही वाली थी कि मोनिका ने पाठक की ओर देखा और मुस्कान को हँसी में बदलते हुए कहा– ''तो पाठक जी, moral of the story ये है कि जैसा सबकुछ चल रहा है, वैसे ही अच्छे से सब चलने देना चाहिए। क्योंकि ग़लत वक़्त पर अगर कोई ज़िद करो, तो वो ग़लती बन जाती है। और फिर बहुत वक़्त लग जाता है यह पहेली सुलझाने में कि वक़्त ग़लत था या ज़िद या फिर वह ग़लती थी? अगर ग़लती थी तो किसकी?''

बेबसी ने फिर से मोनिका की हँसी को मुस्कान में बदल दिया था। बेबसी कभी भी उस मुस्कान को सन्नाटे में बदल सकती थी।

तभी पाठक बोला– ''मोनिका, sorry to know that यार, पर तुम तो बड़ी वाली दिलजली निकली क़सम से।''

मोनिका फिर से हँस पड़ी और फिर अँगूठे और पहली उँगली से इशारा करती हुई बोली– ''बड़ी वाली नहीं, पर हाँ, थोड़ी-सी दिलजली समझ ही लो।''

पाठक के हिस्से का आधा भुट्टा अभी उसके हाथ में वैसे का वैसा ही बाक़ी था। वह भुट्टे की ओर देखते हुए बोला– ''वैसे सही कहा तुमने मोनिका, वक़्त का ही कोई लोचा चल रहा होगा, वरना मेरे जैसा राजकुमार, इन चिल्लरों के साथ जुहू में बैठकर भुट्टा थोड़े न खा रहा होता।''

शिखा ने पाठक को कोहनी मारी और भुट्टा छीनते हुए कहा– ''लाइए राजकुमार पाठक जी, भुट्टा हमको दे दीजिए और आप...''

पाठक उठा और वासुकि और मोनिका की तरफ़ जाकर खड़ा हो गया। उसने झट से भुट्टा मुँह में डाल लिया और दाने कुतरते हुए बोला– ''वक़्त-वक़्त की बात है शिखा, जब वक़्त सही था तब तुमने भुट्टा लेने से मना कर दिया और अब भुट्टा माँगा तो वक़्त ख़राब था।''

फिर मोनिका को हल्के से आँख मारते हुए बोला– ''ठीक समझा न मोनिका?''

मोनिका, तकिए से निकलती हुई रुई-सी फुदक गई। मुस्कराती हुई बोली– ''बिलकुल सही।''

उधर अवस्थी भी भुट्टे के दाने कुतर रहा था। लगा, मानो इन दानों के

साथ वो अपनी ज़िंदगी के कुछ पन्ने भी कुतर देना चाहता था।

......

मनोहर अवस्थी की दो बेटियाँ थीं और बेटा एक था- मुकुल अवस्थी।

मुरादाबाद की एक फैक्टरी में इलेक्ट्रीशियन की नौकरी से बस घर ही चल पाता था। शुक्र यह था कि तीनों बच्चे पढ़ाई में अच्छे थे, वरना उनका मोहल्ला ज़्यादातर दसवीं-बारहवीं फेल आवारा लोगों से ही भरा हुआ था। अवस्थी के पिता जी चाहते थे कि वह बारहवीं के बाद फटाफट डिप्लोमा कर ले, जिससे वे उसको अपनी ही फैक्टरी में कुछ जुगाड़ करके लगवा दें। पर दीदी की ज़िद थी कि अवस्थी दिल्ली जाकर तैयारी करे और IIT निकाले। पैसों की रस्सियाँ कहीं अवस्थी को भी उलझाकर न गिरा दें, तो उसने जीजा जी को भी थोड़ी मदद करने के लिए मना लिया।

दीदी, अवस्थी के बहाने अपनी ज़िंदगी की अधूरी तस्वीर को पूरा कर लेना चाहती थी।

अवस्थी भी हाथों में रंगों की कूची ले उस तस्वीर में वे सारे रंग भर देना चाहता था, जिन पर उसके पापा को कभी यक़ीन नहीं था।

दिल्ली में अवस्थी के कपड़े भले ही मुरादाबाद के थे, पर चेहरे और आँखों की चमक दिल्ली को भी पीछे छोड़ देती थी। अवस्थी की आँखें किताबों पर जम गईं, पर बीच-बीच में उन आँखों को भी देखने लगीं, जो कोचिंग में छुप-छुपकर उसे देखा करती थीं। वे आँखें दिल्ली की ही थीं और बहुत प्यारी भी। उम्र का वो पड़ाव कहें या वक़्त का झोंका, जिसने उन आँखों को मिला दिया। पता ही नहीं चला कि कब आँखों का मिलना, दोनों की पढ़ाई के हिस्से की थोड़ी-थोड़ी रोटी खाने लगा।

रिज़ल्ट देखकर दीदी ने गले लगाते हुए कहा- "कोई नहीं मुक्कू, IIT में नहीं हुआ तो क्या हुआ, लाइफ़ में बहुत कुछ है आगे।" पापा डिप्लोमा का फॉर्म लेकर दरवाज़े पर खड़े थे, लेकिन दीदी हाथ पकड़कर इंजीनियरिंग कॉलेज में एडमिशन करवाने के लिए ले गई।

अवस्थी ने पलटकर अपने कमरे को देखा। उसकी किताबों पर चीटियाँ चल रही थीं। "कहाँ से ये मिठास आ गई मेरे कमरे में, जो कड़वी किताबों पर चीटियाँ चढ़ गईं?" अवस्थी ने एक झटके में सारी किताबें उलट दीं चीनी

के मीठे दाने ज़मीन पर बिखर गए, पन्नों के बीच से निकल कुछ ख़त भी धूल में कहीं गुम हो गए।

......

इधर पाठक, न जाने क्या बनाता-बिगाड़ता रहा रेत पर। दूर से आती हुई लहरों को देख मुस्कराता हुआ बोला- "सोचा था, मुंबई आकर ज़िंदगी रंगीन हो जाएगी, पर क्या पता था कि दिलजलों की बस्ती में रहना पड़ेगा। मोनिका भी दिलजली निकल गई और अपना अवस्थी तो है ही 'सुलगता कोयला'। ये अवस्थी भी बड़ा वाला दिलजला है, क़सम से। इसका क़िस्सा पता है क्या?"

सबने अवस्थी की तरफ़ देखा। अवस्थी ने पाठक को घूरा।

"भाईसाहब IIT की कोचिंग कर रहे थे और कोचिंग में एक बंदी से प्यार हो गया इनको। वह भी ज़बरदस्त वाला। पर जब IIT में नहीं हुआ, तो पिता जी ने लात मारी होगी। और अपने अवस्थी बाबा जी, बंदी को ज्ञान दे आए कि देखो, ये प्यार-व्यार में कुछ नहीं रखा, करियर, फ्यूचर की बड़ी-बड़ी बातें करके ब्रेक-अप कर आए। उसके बाद कॉलेज में कोई पटी नहीं होगी, और बेचारा आज तक सदमे में है।"

पाठक ने हँसते हुए अवस्थी की तरफ़ देखा।

अवस्थी ने बुदबुदाते हुए पाठक को गाली दी। पर पाठक का मानना है कि उसे कोई गाली लगती ही नहीं। फिर अचानक से ख़ूब ज़ोर से हँसते हुए बोला- "अरे एक और मज़े की बात! अवस्थी भाईसाहब अपने ठहरे ग़ज़ब आशिक़, घर से पैसे मिले फिजिक्स की किताब ख़रीदने के लिए और ये उन पैसों से अपनी कोचिंग वाली बंदी को एक घड़ी गिफ़्ट कर आए। पढ़नी थी फिजिक्स और ये कैमिस्ट्री ज़माने में लगे रहे।"

पाठक बड़ी मुश्किल से अपनी हँसी रोकते हुए एक पल के लिए रुका, फिर उसी पल फिर से बोल पड़ा- "पर अवस्थी का भरोसा नहीं है, फेंकू है स्साला। कभी कहता है वो बंदी उसके मोहल्ले की थी, कभी कहता है कोचिंग में मिली पहली बार। झूठी-झूठी कहानियाँ बनाता रहता है।"

मोनिका और वासुकि की नज़रें अवस्थी पर जा टिकीं।

मोनिका ने अपनी घड़ी की ओर देखा। चलती सुइयों ने वक़्त को कुछ

पलों के लिए जैसे थाम-सा लिया। घड़ी का डायल थोड़े पुराने पैटर्न का था और स्ट्रैप भी हल्का हल्का रंग छोड़ने लगा था।

मोनिका ने वासुकि का हाथ थामा और उठती हुई बोली- ''थोड़ा-थोड़ा झूठ तो सभी मिला देते हैं अपनी कहानियों में, पर क्या पता कुछ झूठी कहानियों को मिला दो, तो एक सच्ची कहानी ही बन जाए!''

जुगनू और सोने का हिरण

सेमल के पेड़ के नीचे जमी घास और कुछ सूखे फूलों के बीच से सिर्फ़ आँखें ही दिख रही थीं। नीली-सी आँखों वाला एक खरगोश, ज़मीन पर पड़े सेमल के लाल फूलों को कुतर रहा था। पल में चौकन्ना हुआ, तो उसके कान घास से ऊपर निकल आए। दूर पर पत्थरों के पीछे से एक हाथ ने एक छोटा-सा पत्थर पकड़ रखा था। कान जैसे ही घास के पीछे छुपे, तो पत्थर निकल पड़ा हाथ से। इस बार कान के साथ दुम भी घास के ऊपर निकल आई। पत्थर जैसे ही ज़मीन को लगा, सन्नाटा सूखे फूलों की सरसराहट से गूँज गया।

सरसराहट सुन सीता कुटिया से बाहर निकल आई। देखा, तो सामने एक सोने का हिरण। हिरण ने सीता को देखा और कुलाँचें भरता हुआ वन में कहीं खो गया। जब राम वापस कुटिया पर आए, तो सीता ने उन्हें वो सोने का हिरण लाने को कहा। राम ने अपने बग़ल में खड़े शख़्स के कंधे पर हाथ रखा और कहा- ''हम थोड़ा आराम कर लेते हैं। रवि मिश्रा! तुम जाओ और उस सोने के हिरण को पकड़ लाओ।''

झाड़ी के पीछे साधु का भेष धरे रावण का मुँह उतर गया। अगर ये रवि

मिश्रा हिरण पकड़ने चला गया, तो सीता हरण कैसे होगा। ऊपर से ढाई सौ रुपए की चपत और लग गई भाड़े की नक़ली दाढ़ी और कपड़ों में। वाल्मीकि जी भी उदास हो गए और जाकर रोज़गार कार्यालय में अपना नाम लिखवा आए। रवि मिश्रा ने आज रामायण होने से बचा ली।

उधर, रवि सोने का हिरण ढूँढ़ने निकल पड़ा।

दो पहर, तीन झरने और दो-तिहाई जंगल की ख़ाक छानने के बाद भी हिरण का कोई अता-पता नहीं। थकान पैरों से चढ़ती हुई कमर तक पहुँच गई। आसपास नज़रें दौड़ाकर एक पेड़ तलाशा। जैसे ही उससे पीठ टिकाकर बैठने को हुआ, तो थोड़ी दूर पत्तियों पर कुछ हलचल-सी हुई। इतनी दूर से समझ नहीं आया कि क्या है, पर पत्तों के पीछे से एक हल्की चमक-सी दिखी। रवि दबे पाँव उस ओर बढ़ चला। दो-चार क़दम ही चला था कि लगा, पत्तों के पीछे हलचल बढ़ने लगी। रवि साँप-सा सरसराता हुआ उस ओर झपटा और अपने दोनों हाथों से उसे दबोच लिया। ज़मीन कुछ पोपली थी। वो दोनों उसमें धँसते चले गए। नीचे, और नीचे। धँसना अब फिसलने में बदल गया। दोनों अब फिसल रहे थे और फिसलते ही जा रहे थे। मानो एक लंबी सुरंग में। अँधेरी और अनंत सुरंग। रोशनी दिखाई दी, तो धप्प से मुँह के बल ज़मीन पर।

तभी मुँह पर एक ज़ोर का धक्का लगा और आवाज़ आई- ''अबे छोड़ो बे!''

रवि ने पकड़ ढीली की और वो रवि को धकेलते हुए उठ खड़ा हुआ।

भूरी कमीज और हल्के हरे रंग की पैंट। रवि भी खड़ा हुआ और अपने कपडे झाड़ते हुए बोला- ''तुम कौन हो?''

उसने ज़ोर से रवि को धक्का दिया- ''हम तो जुगनू हैं। तुम कौन हो बे और ये क्या नौटंकी फैला रहे हो?''

''जुगनू?''

''हाँ।''

''सच वाला जुगनू?''

''हाँ बे... अब नाचकर दिखाएँ क्या?''

''पर तुम तो इंसान जैसे दिख रहे हो?''

''कभी दिन में जुगनू देखा है क्या तुमने ? तो कैसे पहचानोगे ?''

''अच्छा, चलो मान लेते हैं। पर मैं तो जंगल में था, ये कहाँ आ गए हम ?''

''जंगल में तो हम भी थे, आराम से बैठे हुए। तुम ही घसीटकर ले आए यहाँ।''

रवि ने इधर-उधर नज़रें घुमाकर देखा।

जुगनू के पीछे एक बिजली का खंभा, बाईं तरफ सफ़ेद पुती हुई दीवार, दाईं ओर रोड। रोड के उस पार चावला फ़ोटोकॉपी की दुकान, उसके बग़ल में राधे स्टेशनरी।

रवि आगे बढ़ने लगा।

''ओय भैया ! कहाँ जा रहे हो ? अबे कहाँ ले आए हो हमें तुम ?'' जुगनू ने रवि के हाथ पकड़ते हुए कहा।

''अबे रुको बे ! ख़ुद तो समझ लें कि कहाँ आ गए हैं ?''

रवि ने हाथ झटका और आगे बढ़ते हुए चौराहे तक जा पहुँचा। फिर तेज़ी से लौटकर जुगनू के पास आकर बोला- ''साला, ये तो हम अपने ही शहर में आ गए हैं।''

जुगनू ने अचरजते हुए कहा- ''तो अब क्या ?''

''अमाँ यार... दिमाग़ मत ख़राब करो। जुगनू हो तुम, तो उड़ो, हमसे क्या पूछ रहे हो कि अब क्या ?'' रवि ने झुँझलाते हुए कहा और फिर तेज़ी से सड़क पार करने लगा। जुगनू भी उसके पीछे हो लिया।

राधे स्टेशनरी के थोड़ा पहले रुककर रवि ने अपनी शर्ट सही की और बालों पर हाथ फेरा। काउंटर के पास जाकर बोला- ''बंटू भैया, क्या हाल हैं ? अरे वो 7th सेमेस्टर के सॉल्व्ड पेपर आ गए क्या कंप्यूटर साइंस के ?''

बंटू भैया सीढ़ी पर चढ़कर ऊपर वाली रैक से किसी के लिए 5th सेमेस्टर की माइक्रोप्रोसेसर की बुक निकाल रहे थे। मुँह में पान भरा था, तो सिर्फ़ सिर हिलाकर जवाब दे दिया। जवाब हाँ था या न, रवि ने देखा भी नहीं लेकिन बग़ल में देखते हुए बोला- ''और क्या हाल है ?''

बड़ी-बड़ी आँखों ने रवि की तरफ़ पलटकर देखा। कोई जवाब आता उससे पहले ही रवि ने आगे पूछा- ''अभी तो दो ही हफ़्ते हुए हैं सेमेस्टर शुरू

हुए, और अभी से असाइनमेंट के लिए इतनी फाइलें ?''

बड़ी-बड़ी आँखें हँस पड़ीं, होंठों का डिब्बा खुल गया- ''इस बार शुरुआत से पढ़ना है रवि सर, वो भी रिफरेंस बुक्स से।''

डिब्बे से निकलकर हँसी की तितली रवि के होंठों पर जा बैठी।

''अकेले ?'' रवि ने पूछा।

''नहीं। बैच की दो-तीन लड़कियाँ और भी आई हैं। वो गैलेक्सी वाले के यहाँ कपड़े वग़ैरह देख रही हैं। मैं इधर चली आई। और आप ? निधि मैम भी आई हैं क्या ?''

''नहीं, वो हॉस्टल में ही है। मुझे थोड़ा कुछ और काम भी था, तो अकेले ही आ गया।''

बंटू भैया ने माइक्रोप्रोसेसर की बुक काउंटर पर रख दी।

एक हाथ से बुक और फ़ाइल्स को समेटा, दूसरे हाथ से अपने पर्स को सही किया और जाती हुई बोली- ''ओके रवि सर, सी यू अराउंड (Ok Ravi sir, see you around)।''

तभी जुगनू ने रवि के कंधे पर हाथ रखते हुए पूछा- ''कौन थी बे ये ?''

रवि ने जुगनू के हाथ को झटक दिया और आवाज़ लगाते हुए बोला- ''अंकिता!''

बड़ी-बड़ी आँखों ने पलटकर देखा- ''हाँ सर!''

''कुछ खाना-पीना है ? वरना कहोगी कि मार्केट में सीनियर मिले और कुछ खिलाया-पिलाया भी नहीं... मैंगो शेक कि इडली डोसा ?'' रवि ने बालाजी फ़ूड पॉइंट की ओर इशारा करते हुए पूछा।

''नहीं सर, ठीक है। अभी हम लोगों ने काफ़ी चटर-पटर खा लिया है।''

''तो कॉफ़ी ?''

बड़ी-बड़ी आँखें बिना कुछ कहे ही झुक गईं।

अंकिता और रवि जाकर टेबल पर बैठ गए।

रवि ने चीनी के दो पाउच फाड़कर कॉफ़ी में डाले और चम्मच से कॉफ़ी

को हिलाने लगा। नीचे की काली कॉफ़ी के अँधेरे ने ऊपर वाले सफ़ेद झाग के उजाले को ढँक लिया। सफ़ेद चीनी भी कहीं गुम हो गई। धीरे-धीरे सबकुछ अँधेरे में घुलने लगा। टेबल, अगल-बग़ल के लोग, रेस्तराँ, चौराहा, सड़कें, पूरा का पूरा शहर अँधेरे में घुल गया।

घुप्प अँधेरा, सिर्फ़ एक चमकता हुआ जुगनू उड़ता दिखा।

अंकिता ने घबराकरकर रवि का हाथ पकड़ लिया। रवि ने भी कँपकँपाती हुई अंकिता को अपनी बाँहों में छिपा लिया। अंकिता ने भी अपनी आँखें बंद कीं और रवि की बाँहों में घुलती चली गई।

अँधेरा छँटा, तो अंकिता के होंठों पर एक कँपकँपाती हुई मुस्कान थी और रवि फिर से उस अँधेरे में खो जाना चाहता था।

रवि ने कॉफ़ी का आख़िरी घूँट पिया और अंकिता के हाथ पर हाथ रखता हुआ बोला- ''तो अब आगे क्या?''

अंकिता ने अपने हाथ को हल्के से पीछे खींच लिया और बोली- ''अब आगे क्या रवि सर? आपके कमरे में मेरी किताब रखने के लिए पहले कई अलमारियाँ साफ़ करनी होंगी। इससे अच्छा है कि राह चलते, एक बार सुनी हुई किसी गुमनाम शायर की रुबाइयों-सा गुनगुना लेंगे। न किताबों की झिक-झिक, न अलमारियों की आफ़त।''

''और उस गुमनाम शायर का कोई नाम भी तो हो सकता है?''

''कभी-कभी नाम न होना ज़िंदगी को आसान कर देता है।'' बड़ी-बड़ी आँखों को पलकों ने ढँक लिया।

''अब चलती हूँ रवि...'' कहती हुई वह उठकर चली गई।

रवि ने काउंटर पर पैसे दिए और रेस्तराँ से बाहर आ गया। बाहर आकर दो चार-क़दम ही चला होगा कि किसी ने कसकर एक झापड़ पीछे से रसीद दिया। जैसे ही पलटा, तो एक और थप्पड़ गालों पर अपने निशान चिपका गया।

''हरामख़ोर, जब देखो तब यहाँ कॉफ़ी पीते-पिलाते रहते हो। बहुत गर्मी चढ़ी हुई है तुमको?''

''पापा, अरे पापा! ऐसा कुछ नहीं है, बस ऐसे ही दोस्तों के साथ...'' रवि ने अपने गाल पर हाथ रखते हुए कहा।

"पापा-पापा न रेको, तुम घर चलो ज़रा। अभी तुम्हारी मम्मी को बताते हैं, छुटका क्या गुल खिला रहा है? साला जब भी मार्केट आओ सामान लेने, तो तुम यहीं अपनी चारपाई बिछाए दिखते हो। कुछ दिन तो हम चुप रहे, लेकिन अब तो हद ही हो गई है। कभी किसी के साथ बैठे हैं, कभी किसी और के साथ। कॉलेज-वॉलेज जा भी रहे हो कि बस यही सब करना है तुम्हें! सुनो, सुधर जाओ और क़ायदे से इंजीनियरिंग पूरी कर लो। वैसे ही ईयर बैक लगवाकर अपना एक साल ख़राब कर चुके हो। अब यहीं ज़िंदगी गुज़ारनी है क्या? पहले कितना मन लगाकर पढ़ा करते थे। ये साला कॉलेज, कॉफ़ी ने बिगाड़ दिया है तुमको...और गल्ले से पैसे उठाकर ला रहे हो न, ये चाय कॉफ़ी के लिए?"

रवि ने अपनी शर्ट सही की और बोला- "पापा, चलो घर पर बैठकर बात करते हैं।"

एक और थप्पड़ पड़ा झन्न से।

"यहाँ बड़ी अपनी इज़्ज़त का ख़्याल आ रहा है, वो तो ग़नीमत है कि लौंडिया के सामने नहीं जुतियाए तुम्हें। अबे, पढ़-लिखकर नौकरी ले लो कोई, तो सब इज़्ज़त देंगे, वरना हमारे साथ गल्ले में बैठना फिर। चलो, घर जाओ सीधे यहाँ से।"

रवि ने फिर से शर्ट सही की और सिर झुकाकर आगे बढ़ गया। देखा कि जुगनू उसकी ओर आ रहा था। पलटकर देखा, तो पापा जा चुके थे।

"जुगनू,, कहाँ गई वो?" रवि ने पास आते जुगनू को आवाज़ लगाते हुए पूछा।

"कौन? निधि कि अंकिता?"

"दोनों?"

"अंकिता तो ऑटो लेकर चली गई और निधि, वो उधर चौराहे की तरफ़ मुड़ी थी।" जुगनू ने लाल चौक की ओर इशारा करते हुए कहा।

रवि चौराहे की तरफ़ दौड़ चला।

"अरे सुनो तो सही!" जुगनू पीछे से चिल्लाया, पर तब तक रवि चौराहे पर मुड़ चुका था।

रवि दौड़ता ही चला गया।

आगे जाकर डामर की

सड़क, कच्चे रास्ते में बदल गई। बग़ल की दीवारें और खंभे, पेड़ों में बदलने लगे। कच्ची सड़क दोनों ओर पेड़ों और झाड़ियों से घिरी हुई गली में बदल गई। सामने अब खुला मैदान था। बग़ल में गन्ने के खेत आ गए।

धीरे-धीरे खुला मैदान फिर से सिकुड़ने लगा और गलियों में तब्दील होने लगा। गलियाँ, फिर से चौड़ी सड़कों में बदल गईं। गाड़ियाँ बग़ल से गुज़रती रहीं, तो कभी वो गाड़ियों से गुज़रता रहा।

रवि दौड़ता ही रहा और एक साँस में सारी सीढ़ियाँ चढ़ गया... कि तभी जेब में रखे मोबाइल की घंटी बज उठी।

''हाँ माँ, हाँ पहुँच गए हैं अच्छे से गुड़गाँव, अभी ही पहुँचे,आधा घंटा हुआ होगा बस... हाँ सतीश के साथ रुके हैं अभी तो... कल से ऑफ़िस जॉइन करना है...फिर कुछ दिनों में अपने लिए कमरा देखेंगे। हाँ माँ, नहीं ठीक है, पापा से क्या बात करनी, आप ही बता देना कि ठीक से पहुँच गए हैं... हाँ, ठीक है, कल फ़ोन करते हैं।''

मोबाइल वापस जेब में चला गया।

पीछे से किसी ने कंधे पर हाथ रखा और कहा- ''थक गए होगे, चलो तुम्हें चाय पिला लाएँ।''

''अरे जुगनू! तुम? कहाँ थे अब तक?''

''बस उड़ रहे थे यहाँ-वहाँ। और तुम?''

''हम दौड़ रहे थे यहाँ-वहाँ।'' कहते हुए रवि हँस पड़ा।

''पर बेटा, अब हम भी उड़ेंगे, लपक के। छह महीने घिसने के बाद नौकरी लग गई है... और निधि भी यहीं है। साला, एक बार तो लगा था कि ज़िंदगीभर रिन की टिकिया और मसूर की दाल बेचनी पड़ेगी... जुगनू राजा, अब रवि मिश्रा उड़ेगा, ऐसा फरफरा के कि फट जाएगी बाक़ियों की।''

रवि ने फट से बाइक स्टार्ट की और फट-फट-फट करता हुआ सड़कों पर निकल पड़ा। सड़कें ख़ाली होनी लगीं, लोग अपनी गाड़ियाँ साइड में लगाकर रवि को देखने लगे। बाल हवा में लहरा गए।

एक मोड़ पर बाइक थोड़ा धीरे की और निधि पिछली सीट पर बैठ गई। निधि ने पीछे से रवि को अपनी बाँहों की गिरफ़्त में कर लिया। झुकती हुई उसके कानों के पास जाकर धीरे से पूछा ''कहाँ चल रहे हैं हम?''

"चलो, तुम्हें हनीमून पर लद्दाख घुमाते हैं, बाइक पर।"

निधि के बाँहों की गिरफ़्त और कस गई। हाथ में पहनी लाल-सफ़ेद चूड़ियाँ खनक उठीं।

उधर सुबह से रवि का फ़ोन भी खनकने लगा।

निधि ने "Happy first Anniversary" की फ़ोटो पोस्ट की थी, दिनभर ' लाइक्स और कमेंट्स आते रहे।

तभी एक और नोटिफिकेशन आया– Satish Kumar reacted to Ankita Sharma's post.

रवि की उँगलियाँ अंकिता शर्मा के नाम पर फिसल गईं।

Anikta Sharma has updated her current city to NOID`

धड़कनें बढ़ गईं और उँगलियों ने ख़ुद-ब-ख़ुद फ़ोटो ज़ूम करके आँखों के सामने रख दी।

रवि अपने क्यूबिकल से उठा और मोहित की तरफ़ देखते हुए पूछा– "चाय पीने चलेगा नीचे?"

"अभी? अभी तो लंच करके आए हैं! ना भाई, तू जा अभी, मेरे को थोड़ा काम निपटना है। पाँच बजे चलेंगे अपने रोज़ के टाइम पर।" मोहित ने मना कर दिया।

"चलो हम चलते हैं।" पीछे से जुगनू ने आवाज़ दी।

रवि टपरी की ओर चल दिया। चायवाले ने स्टोव की आँच तेज़ कर दी। रवि ने सिगरेट सुलगा ली। सिगरेट का धुआँ, उबलते पानी और दूध की भाप से जा मिला। भाप उठते-उठते ऊपर बादलों से जा मिली। चायपत्ती ने उसमें काला रंग मिला दिया। बादल काले-से होने लगे।

रवि जाने लगा।

"किधर?" जुगनू ने पूछा।

"जाना है ज़रा।"

"अरे, तुम तो उस तरफ़ रहते हो!"

"शॉर्टकट रास्ता है ये…" कहते हुए रवि एक ओर बढ़ चला।

बादलों को चाय चढ़ गई। जमकर बरसने लगे। हर जगह पानी ही पानी। कुछ सड़कों से नहरें निकल गईं, तो कुछ तालाब बन गईं। रवि बचते-बचाते

हुए आगे बढ़ता रहा।

तभी... ''छपाक!'' बग़ल से गुज़रती बस ने रवि को भिगा दिया। बस 100 क़दम दूर स्टॉप पर रुकी। दरवाज़े से पहले एक छाता निकला और उस छाते को पकड़े नीचे उतरी अंकिता।

अंकिता छाते में ख़ुद को छिपाती हुई एक मोड़ पे मुड़ गई। रवि को अपनी आँखों पर यक़ीन नहीं हुआ। वो भागते हुए उस ओर गया।

बारिश सड़क को तालाब बना चुकी थी। आसपास पेड़ और झाड़ियाँ थीं। इधर-उधर नज़रें घुमाकर देखा। कुछ भी नहीं था। सिर्फ़ बारिश की बूँदें पानी पर गोले बना रही थीं।

तभी अचानक से, एक सुनहरे रंग का हिरण झाड़ियों के पीछे से निकला और तालाब में कूद गया।

पूरा तालाब सुनहरा हो गया। सोने-सा चमक उठा। रवि तालाब के किनारे झुककर बैठ गया और उस सुनहरे पानी को निहारता रहा।

''क्या पिछले 10 मिनट से मैंगो शेक को घूर रहे हो?''

''हम्म, कुछ नहीं।''

''क्या हो गया है तुम्हें, रवि? पता नहीं कहाँ ध्यान रहता है तुम्हारा। न तुम्हें मुझसे कोई मतलब है, न घर से। डेढ़ साल हो गए हैं अपनी शादी को, लेकिन डेढ़ महीने में ही मेरा दम घुटने लगा था तुम्हारे साथ। क्या-क्या नहीं किया मैंने तुम्हारे लिए... कॉलेज में तुम्हारे नोट्स से लेकर, यहाँ तुम्हें नौकरी दिलवाने के लिए। घरवाले भी तैयार नहीं थे तुमसे शादी करवाने के लिए, लेकिन बस मेरी ही ज़िद थी कि एक बार प्यार किया है, तो उसे अधूरे में नहीं छोड़ सकते। पर तुम...! तुम कभी मेरे पूरे हो, ऐसा लगा ही नहीं। बेहतर होगा कि हम अलग ही हो जाएँ!''

निधि ने ज़ोर से दरवाज़ा बंद किया और बाहर चली गई।

''निधि, सुनो तो... सॉरी यार!'' रवि ने धीरे से कहा। लेकिन दरवाज़ा बंद होने की आवाज़ ने रवि की धीमी आवाज़ को दबा दिया।

खिड़कियाँ कई दिनों से खुली नहीं थीं और दरवाज़े ने बंद होते-होते अँधेरे को कमरे में धकेल दिया।

रवि को अँधेरे कमरे में कुछ चमकता-सा दिखा एक पल के लिए।

"जुगनू, तुम हो क्या ?" उसने पूछा।

ख़ाली कमरे से कोई जवाब नहीं आया। रवि ने टटोलते हुए टेबल लैंप जलाया।

सामने मेज पर तलाक़ के पेपर रखे थे। बग़ल में एक डिब्बा भी था। खोला तो गोभी की सब्ज़ी और चार पराठे। छुआ तो पराठे अभी भी थोड़े गरम ही थे।

रवि ज़ोर से चिल्ला उठा- "सॉरी! "I am sorry...!!"

कमरा गूँज उठा आवाज़ से। दीवारों से टकराती आवाज़, खिड़की के शीशे तोड़ती हुई बाहर निकल गई। टूटे शीशे से हवा का एक झोंका बहता हुआ कमरे में आया और दरवाज़े को खोल गया।

रवि बाहर की तरफ़ दौड़ पड़ा। कार चालू की और दौड़ा दी सड़कों पर। आज रास्ते में थोड़ी भीड़ थी, लेकिन हर सिग्नल खुला मिल रहा था।

"ज़रूर, जुगनू होगा, जो हर सिग्नल पर बैठकर उसको ग्रीन कर दे रहा है।"

वह बुदबुदा रहा था- "सच में, निधि ने क्या कुछ नहीं किया मेरे लिए, बल्कि हमारे लिए... और मैं... किसी को बता नहीं सकता, लेकिन जानबूझकर फाइनल ईयर के एग्ज़ाम नहीं दिए, ताकि एक और साल मिल जाए अंकिता के साथ। उधर निधि, दिन-रात परेशान रहती थी मेरे लिए। मैं ही समझ नहीं पाता था कि क्या करूँ? अंकिता के लिए रुकूँ कि निधि के साथ चल दूँ?"

तभी ट्रैफ़िक लाइट पीली हो गई। सुनहरी पीली। सुनहरापन फैल गया आसमाँ में। सबकुछ सुनहरा-सा होने लगा। रवि ने इधर-उधर देखा। सुनहरे लोग, सुनहरे स्कूटर, सुनहरी बाइकें, सुनहरी कारें...

"रुकूँ कि चल दूँ?" समझ नहीं आया कि क्या किया जाए।

हॉर्न की आवाज़ें बढ़ गईं। ट्रैफ़िक लाइट लाल हो गई।

एक ज़ोर से झटका लगा और माथे से टपकता हुआ ख़ून कमीज़ को लाल कर गया। कई आवाज़ें पास आने लगीं, आँखें छोटी होती चली गईं।

फिर कुछ देर बाद, धीरे-धीरे आवाज़ें दूर होती चली गईं। सिर्फ़ एक आवाज़ रह गई। टप-टप-टप!

लगा जैसे कुछ टपकता हुआ हाथों तक आ रहा हो। उँगलियाँ हिलाईं, तो

हाथ में लगी तीन सुइयाँ अंदर तक टीस दे गईं।

हल्के से आँख खोली तो सबकुछ धुँधला-सा। बग़ल में कुछ टेढ़ी-मेढ़ी लाइनें चल रही थीं और एक हरा-सा बटन टिमटिमा रहा था।

पलकें बहुत देर तक अपना वज़न न उठा सकीं। आँखें बंद होने लगीं। टिमटिमाते हरे बटन की जगह अब जुगनू खड़ा था।

वह पास आया और बोला- ''अरे रवि, कैसे हो अब?

''देख तो रहे हो कि कैसे हैं हम। साले मज़े लेने आए हो क्या हमारे?''

''अरे, हम क्या मज़े लेंगे तुम्हारे? हमें तो लगता है तुम ख़ुद ही अपने मज़े ले लिया करते हो। पता नहीं क्या-क्या करते रहते हो?'' जुगनू हँसते हुए बोला।

''फालतू बातें मत करो। तुम्हें पता भी है कि क्या-क्या हुआ है हमारे साथ?''

''तो बताओ, शुरू से क्या हुआ?''

''वैसे, तुम्हें ज़्यादातर तो सब पता ही है।''

''हम तो बीच में मिले थे तुम्हें। हमें क्या पता कि तुम कब से क्या गुल खिला रहे हो?''

''अरे, ज़्यादा कुछ नहीं है और। सीता जी को सोने का एक हिरण दिखाई दिया। उन्होंने राम जी को बोला। राम जी थके हुए थे, उन्होंने हमें बोल दिया, उसे पकड़कर लाने के लिए। हम जंगल में सोने के हिरण को ढूँढ़ रहे थे, पर ग़लती से तुम्हें पकड़ लिया। आगे तो तुम जानते ही हो। अगर तुम मेरी जगह होते तो क्या करते?''

जुगनू ने कुछ देर सोचा और बोला- ''हम होते तो हम राम जी को मना कर देते।''

''मतलब?'' रवि ने चौंकते हुए पूछा।

''मतलब यही कि हम नहीं जाते सोने का हिरण पकड़ने। काहे कि जो भी आज तक सोने के हिरण के पीछे भागा, वो अपना भी सबकुछ खो बैठा। हम तो कह रहे हैं कि तुम भी ये सोने के हिरण के चक्कर-वक्कर में मत पड़ो।''

''हम्म्म...!''

तभी रवि के हाथ पर किसी ने अपना हाथ रख दिया।

उसने आँखें खोलकर देखा।

सामने निधि खड़ी थी। उसने रवि के बालों को हल्का-सा सहलाया, दो आँसू गिर पड़े रवि की हथेली पर।

रवि की आँखों से भी आँसू बह निकले। उसने दूसरा हाथ निधि के हाथ पर रख दिया।

बग़ल में रखे वेंटिलेटर में हरी लाइट टिमटिमा रही थी।

मैं बहुत बड़े सींग चाहता हूँ

कहते हैं, गधों के सींग नहीं होते!

कौन कहता है?

वैसे सींग तो बिल्ली के भी नहीं होते...?

और न ही पड़ोस के गुप्ता जी के...

अब कहने से ही सबकुछ हो जाता, तो चल गई दुनिया! मैं तो कहता हूँ, हम सबके सींग हैं!!

सींगों का काम क्या है?

सींग मारना!

वो तो हम सभी मारते हैं, हर किसी को। वो करना जो ज़रूरी नहीं है, बस ये ही तो करते हैं हम भी!

ये सींग ही तो हैं, जो बॉस को हर पाँच मिनट में तुम्हारे सिर पर खड़ा कर देते हैं।

गुप्ता जी के भी सींग ही तो हैं, जो उन्हें बस में मेरे अख़बार को झाँक-झाँककर पढ़ने के लिए मजबूर करते हैं।

यह सींगों की ही मेहरबानी है कि मैं जिस भी लड़की को पसंद करता हूँ, उसे किसी और के मैसेज आते हैं। हद तो तब हो जाती है, जब ये सींग स्कूल से पीछा करते हुए ऑफ़िस तक आ पहुँचते हैं।

सींग हर जगह पाए जाते हैं। वो सर्वव्याप्त हैं! और हर कोई सींग मारता है। जंगल में दो हिरण , गाँव में दो बकरियाँ और यहाँ हर कोई एक–दूसरे को!

कोई मुंबई में आकर रहे, तो भी सींग मारे जाते हैं। कोई होमोसेक्सुएलिटी के लिए आवाज़ उठाए, तो भी सींग मारे जाते हैं। आपका कोई कपड़ा अगर पड़ोसी की बालकनी में गिर जाए, तो भी सींग मारे जाते हैं।

और...

सींग तब भी मारे जाते हैं, जब कोई बच्चा अपनी चादर से मुँह निकालकर कोई सपना देखता है। सपने जितने बड़े होते हैं, मारने वाले सींग उतने ही नुकीले होते जाते हैं!

......

मैंने भी सींग मारे हैं।

बचपन में अपने क्लास मॉनिटर की मैथ कॉपी चुरा के। टीचर से शिकायत की थी मेरी उसने। कॉलेज में भी एक–दो सींग मारे थे। अब ऑफ़िस में मारता हूँ अपने बॉस को। यह बात अलग है कि उसके सींग ज़्यादा तेज़ लगते हैं। क़सम से, मैंने इतने बड़े सींगों वाला जानवर आज तक नहीं देखा!

बस हमारे ये सींग दिखते नहीं हैं, पर होते ज़रूर हैं। हम सब सींग वाले हैं। जिसकी जितनी औक़ात, उसके उतने बड़े सींग! और हर किसी को अपने सींगों पर गुरूर है। जहाँ मौक़ा मिलता है, मार देते हैं... वरना छुआकर निकल जाना तो स्टाइल है आजकल का!

हर कोई अपने सींगों को पैना कर रहा है। पैना... और पैना ...करता ही चला जा रहा है। बिना कुछ सोचे, बिना कुछ समझे। यह जानते हुए भी कि अफ़्रीका का बारहसिंगा अपने बड़े सींगों की वजह से ही मरता है!

मैं भी अपने सींग बड़े करना चाहता हूँ।

बड़े, ख़ूब बड़े!

इतने बड़े कि गली–गली घूमकर उनसे कटी पतंगें लूट सकूँ।

इतने बड़े कि राह चलते भी कुछ कपड़े सुखा दूँ उन पर।

इतने नुकीले कि मिट्टी खोदकर एक लौकी की बेल लगा सकूँ।

इतने घने कि अच्छी यादों की मकड़ियाँ उनमें जाले बुन सकें।

डाल दूँ कुछ झूले उनमें और बैठा के बचपन को दूँ एक धक्का ज़ोर से।

दुआओं के कुछ धागे भी बाँधूँगा उनमें...!

मैं बहुत बड़े सींग चाहता हूँ।

आलू-भुजिया

''निक्की-थोड़ा वॉल्यूम बढ़ा दे यार, टीवी का।''

''नहीं ना... 11 बज रहे हैं रात के।'' निक्की ने टीवी के रिमोट को थोड़ा दूर करते हुए कहा।

''यार, काला चश्मा आ रहा है। बढ़ा दे ना यार, वॉल्यूम।''

निक्की ने रिमोट को हाथ में लिए-लिए ही कहा- ''हाँ, और कल जब अपार्टमेंट ऑफ़िस से कंप्लेन आएगी, तब बोलना उनको कि अंकल वो काला चश्मा वाला गाना आ रहा था न, सो थोड़ा-सा वॉल्यूम अपने आप बढ़ गया था।''

''तू भी न निक्की, जब देखो तब हर बात पे सोसाइटी वाले कंप्लेन कर देंगे... अरे किराया देते हैं... हर महीने SMS आ जाता है कि 18000 INR has been debited from your account. That too for this fuck-ing 1 bedroom और ऊपर से बंदा अपनी पसंद के गाने भी नहीं सुन सकता ? हद है यार ये तो ! इधर ला रिमोट।''

पलक नीचे सोफे से टिककर बैठी हुई थी। निक्की सोफे पर बैठे-बैठे ही

पलक के कंधे पर हल्के से मारती हुई बोली– ''अच्छा ठीक है, अभी 12 पर है वॉल्यूम, 15 कर देती हूँ... बस!''

निक्की ने टीवी का वॉल्यूम बढ़ाया। और फिर रिमोट को एक तरफ़ रखती हुई बोली– ''बची है या ख़त्म हो गई तेरी?''

''हम्म almost.'' पलक ने बग़ल में रखी बियर की बोतल को हिलाकर देखा।

''एक और?'' उठते हुए निक्की ने पलक से पूछा।

''चल ले आ... और तू?'' पलक ने पूछा।

''हाँ, मैं भी ले रही हूँ।'' यह कहती हुई निक्की फ्रिज की तरफ़ बढ़ गई।

......

पलक क़रीब सात महीने पहले निक्की के साथ इस फ्लैट में रहने आई थी। निक्की की पहली वाली रूममेट को नई जॉब मिली और वो बेंगलुरु चली गई।

और जब से सेक्टर 64 के फ्लाई ओवर का काम स्टार्ट हुआ, तब से ट्रैफ़िक जाम की वजह से पलक का रोज़ क़रीब आधा घंटा बर्बाद होने लगा था। निक्की ने कंपनी के पोर्टल पर रूम शेयरिंग (room sharing) का एड डाला, पलक ने देखा, मैसेज किया, फिर फ़ोन पर बात हुई। रेंट लगभग उतना ही पड़ रहा था और रोज़-रोज़ के ट्रैफ़िक की झिक-झिक से छुटकारा, सो वीकेंड पर रूम देखा और उसी दिन शाम को निक्की के साथ शिफ्ट हो गई।

......

निक्की फ्रिज से बियर की बोतल निकाल ही रही थी कि तभी पलक ने टीवी देखते हुए कहा– ''सुन ना... ज़रा आइस भी लेती आना, और बची हुई बोतल को फ्रीज़र में डाल दे।''

''अंकल को बोलना पड़ेगा कि फ्रिज ठीक करवाएँ, मटके का पानी भी इससे ज़्यादा ठंडा होता है।''

निक्की ने एक हाथ में बियर की दो बोतलें पकड़ीं, दूसरे हाथ में आइस ट्रे और पैर से फ्रिज का दरवाज़ा धकेलती हुई बोली– ''हाँ-हाँ, क्यों नहीं, तेरी तो जैसे सारी बातें मानते हैं न अंकल। और सुन, जब फ्रिज बदलने को बोलेगी

तो ये भी बोल देना कि अंकल, निक्की का एक फ्रेंड है, उसको भी रूम पर आने को allow कर दो न।''

ये सुनकर, पिछले पाँच मिनट में पहली बार पलक ने टीवी ने नज़रें हटाईं और आती हुई निक्की की तरफ़ देखकर कहा- ''हाँ, और नहीं तो क्या, तू बुला लिया कर अंशुल को... डरती क्यों है? मैंने तो कितनी बार बोला कि मुझे कोई प्राब्लम नहीं है। तू ही है जो अंकल और सोसाइटी के चक्कर में पड़ी रहती है! कोई पूछे तो बोल देना कि पलक का कज़न (cousin) है, वरना जिस स्लो स्पीड से तू बढ़ रही है, कहीं ऐसा न हो कि अंशुल का shadi.com में अकाउंट बन जाए।'' यह कहती हुई पलक हँस पड़ी।

''कभी बिरयानी के बारे में सुना है तूने? नमक स्वादानुसार और फिर उसे धीमी आँच पर पकने दें...'' कहते-कहते निक्की सोफे पर बैठ गई।

उसने आइस-ट्रे को नीचे रखा और बियर की एक बोतल पलक की ओर बढ़ा दी। फिर ताने मारने के अंदाज़ में बोली- ''हाँ, और तेरी फास्ट स्पीड का तो मैं देख ही रही हूँ। 3 weekends से ये बियर पार्टी हो रही है तेरा ब्रेक-अप सेलिब्रेट करने के लिए।''

पलक ने बैठे-बैठे ही बियर की बोतल पकड़ी और थोड़ा झुँझलाती हुई बोली- ''कोई ब्रेक-अप वेक-अप नहीं हुआ है मेरा, समझी। We are having some beers and watching tv, that's it.''

''ओह प्लीज़, तू रहने ही दे।'' निक्की ने ऐसे बोला, जैसे कि वो जानती है पलक और मयंक के बारे में।

''नो-नो-नो, please let me complete. We are just having some chilled beers and watching tv... क्योंकि तेरे ये अंकल का A.C. साला गरम हवा फेंकता है, और रात के 10 बजे के बाद लड़कियों का बाहर रहना ख़तरे से ख़ाली नहीं है गुड़गाँव में... अगर ये नहीं पता, तो एक बार ''सावधान इंडिया'' का कोई एपिसोड देख ले।''

(थोड़ा रुकती हुई)

''बड़ा भारी ब्रेक-अप सेलिब्रेट कर रहे हैं। एक काम कर ना, तू अपनी मॉर्निंग वाली green tea ही पी ले।''

पलक की झुँझलाहट से साफ़ लग रहा था कि वो अपने और मयंक के

बारे में कोई बात नहीं करना चाहती थी।

अचानक से पलक, निक्की की ओर झपटती हुई बोली- "ला इधर ला अपनी बोतल, और तू जाकर अपनी green tea ही पी ले।"

निक्की मुस्कराती हुई थोड़ा पीछे हुई और फिर झट से बियर की बोतल को मुँह से लगा लिया।

पलक, निक्की की ओर थोड़ा और बढ़ती हुई बोली- "न-न... कोई नहीं, दे-दे बियर, मैं जूठा वैसे भी नहीं मानती।"

निक्की ने हँसते हुए कहा- "हाँ-हाँ... तू क्यों जूठा मानने लगी।" और फिर पलक की पहुँच से दूर करने के लिए उसने अपना हाथ ऊपर कर बोतल दीवार से लगा दी।

पलक वापस नीचे सोफे पर टिककर बैठ गई।

निक्की ने रिमोट से वॉल्यूम फिर से 15 से कम करके 12 कर दिया। पलक ने पलटकर, तिरछी नज़रों से निक्की को घूरा।

निक्की ने एक घूँट बियर पी और पलक को देखती हुई बोली- "जब कोई अच्छा-सा गाना आएगा, तब वॉल्यूम बढ़ा दूँगी पक्के से।"

......

पलक ने बियर की बोतल को गाल से लगाया... फिर मुँह बिचकाते हुए बग़ल में पड़े गिलास को उठाया और उसमें बर्फ़ डालने लगी।

बियर शायद पलक के हिसाब की ठंडी नहीं थी। वैसे भी हर जगह "भयानक ठंडी बियर", "महाठंडी बियर यहाँ मिलती है" जैसे साइन बोर्ड देखने के बाद कोई क्यों, थोड़ी भी कम ठंडी बियर पिएगा।

निक्की ने पलक की तरफ़ हाथ बढ़ाते हुए कहा- "ज़रा भुजिया बढ़ाना इधर।"

पलक ने सामने पड़े आलू भुजिया के पैकेट को उठाया और हल्के से हिलाकर जायज़ा लिया कि उसमें कितनी भुजिया बची है।

"सब मत खा जाना... बीच-बीच में इधर भी बढ़ा देना।" निक्की को भुजिया देती हुई पलक बोली।

तभी बीच में ही भुजिया के पैकेट को पलटकर देखा, थोड़ा रुकी और फिर बोली- "...And you know what... 320 कैलोरी हैं इसमें और

ऊपर से बियर। मोटी हो गई, तो अंशुल तो छोड़, shadi.com में भी लोग right swipe कर देंगे तुझे।''

फिर एक प्रसिद्ध नेता के अंदाज़ में बोली- ''तो मितरों ... थोड़ा-थोड़ा खाते रहो और आगे-आगे बढ़ाते रहो।''

सुनकर निक्की हँस पड़ी और भुजिया का पैकेट पकड़ लिया।

......

कुछ देर से कोई ढंग का गाना नहीं आया, तो निक्की ने चैनल चेंज करने के लिए रिमोट उठा टीवी की तरफ़ हाथ बढ़ाया। ''यार निक्की... तू अब कोई न्यूज़-व्यूज़ न लगा देना।''

पलक ने टीवी की तरफ़ ही देखते हुए, अपना हाथ पीछे किया और सोफे पर कुछ टटोलने लगी। कुछ हाथ नहीं आया, तो हल्के से पीछे देखती हुई बोली- ''दे न यार!''

निक्की ने उसके हाथ में भुजिया का पैकेट पकड़ा दिया और टीवी चैनल बदलने लगी। निक्की को चैनल बदलते देख पलक खीझकर बोली- ''मत कर... प्लीज़, मत कर मेरी माँ, मत चेंज कर। वही रोज़ एक जैसी न्यूज़। कुछ नया होता-वोता तो है नहीं देश में, वही नाटक बार-बार।''

निक्की, पलक की बात को अनसुना कर चैनल बदलती रही।

पलक ने खीझते हुए क़रीब मुट्ठीभर भुजिया निकाली और खाते-खाते बोली- ''कैसी है न तू निक्की... बियर के साथ भला कोई न्यूज़ देखता है क्या? सांग्स ही चलने दे न।''

फिर एक घूँट बियर पीने के बाद बोली- ''अच्छा चल... मैं ही न्यूज़ सुना देती हूँ तुझे। एक तो इंडिया-पाकिस्तान पर कोई कमेंट पकड़ लो। 2-3 accidents और एक-आध रेप तो होना ही है रोज़ न्यूज़ में। एक क्रिकेट का कर लेते हैं। वन डे, टेस्ट, T-20। कुछ न कुछ तो चल ही रहा होगा... और वैसे भी तू क्रिकेट फॉलो नहीं करती तो छोड़ उसे भी।''

निक्की की उँगलियाँ चैनल बदलती ही जा रही थीं कि तभी टीवी की ओर देखती पलक ने कहा- ''ऐ-ऐ-ऐ... फिर से काला चश्मा वाला सांग आ गया... पीछे कर, पीछे कर यार, 35 पर ही रहने दे ना।''

निक्की ने भी सांग लगाकर रिमोट साइड में रखा दिया, फिर अपने पैर

और सोफे के कोने के बीच में दबाकर रखी बियर की बॉटल को उठाने लगी।

उधर पलक हल्का-हल्का झूमती हुई टीवी देखने लगी। जैसे ही "दस बारह लड़के तो मार ही देती होगी तू दिन में" वाली लाइन आई, उसने ज़ोर से इस लाइन को गाने के साथ दोहराया और फिर हाथ हवा में लहराए। और फिर ज़ोर से हँसती हुई, ताली मारने के लिए अपना हाथ निक्की की तरफ़ बढ़ा दिया।

निक्की ने भी पलक की हथेली पर ताली मारी और दोनों ज़ोर से हँस पड़ीं।

"चढ़ गई है तुझे।" निक्की ने पलक के कंधे पर हाथ रखकर उसे छेड़ते हुए कहा।

पलक ने हाथ में रखी भुजिया को मुँह में डाला और खाती हुई बोली- "अरे अभी कहाँ, दूसरी बियर ही तो है ये।"

पलक सोफे का सहारा लेकर उठी। एक हाथ में बियर की बोतल पकड़े हुए अँगड़ाई ली और निक्की के पैर को हल्का-सा धक्का देती हुई बोली- "चल खिसक ज़रा, नीचे बैठे-बैठे कमर टूट गई।"

निक्की ने अपने पैर समेटकर पलक के लिए जगह बनाई। और आँखों से ही पलक को, उसे भुजिया देने का इशारा किया।

पलक ने नीचे पड़े भुजिया के पैकेट को निक्की की तरफ़ बढ़ाया और सोफे के दूसरे कोने की टेक लेकर बैठ गई।

निक्की ने भुजिया के पैकेट को टटोला, उसमें थोड़ी-सी ही भुजिया बची थी। ग़ुस्से से पलक की तरफ़ देखती हुई बोली- "इससे अच्छा तो ख़ाली पैकेट ही दे देती।"

पलक ने निक्की की बात को अनसुना किया और फिर टीवी की ओर देखती हुई बोली- "देख-देख, कैटरीना का रेड वाला टॉप देख, कितना मस्त पैटर्न है ना?"

निक्की ने मुँह में भरी बियर का घूँट अंदर लेते हुए, पलक की हाँ में हाँ मिलाते हुए सिर हिला दिया। "हाँ, मस्त है एकदम, और कैटरीना भी बड़ी मस्त है यार।"

"कमर देख रही है तू इसकी..."

"लड़के यूँ ही थोड़े न मरते हैं इस पर।"

"मैं भी लड़का होती तो... क़सम से अपने रूम मे बड़ा-सा पोस्टर लगाकर रखती कैटरीना का।" निक्की ने हवा में अपने हाथों से एक बड़ा-सा पोस्टर जैसा शेप बनाते हुए कहा।

"आ हाँ निक्की डार्लिंग... कहीं तू लेस्बो (lesbo) तो नहीं बनने वाली है न?" पलक ने हँसते हुए कहा और यह कहते हुए उसकी आँखों से शरारत टपक पड़ी। वह झटके से निक्की को अपनी बाँहों में पकड़ने के लिए झपटी।

"कुछ भी..." कहती हुई निक्की भी मुस्कराई। उसने झट से पलक को पीछे धकेला और फिर सोफे के कोने में टिककर बैठ गई।

कुछ देर रुककर पलक बोली- "वैसे, एक बात तो है यार निक्की... ये लड़के रोज़ कैटरीना जैसी को देखते हैं टीवी पर, मैग्ज़ीन में, फिर उन्हें तो ये ही लगता होगा न कि उनको भी ऐसी ही कोई लड़की मिले... slim, fair and beautiful... Like you know मुझे ही देख...

"मेरा पहले वाला फोन बड़ा बढ़िया काम कर रहा था... कोई दिक़्क़त नहीं थी, कभी हैंग भी नहीं होता था... बैटरी बैकअप भी बढ़िया। पर फिर धीरे-धीरे iphone देखकर लगा कि ये तो मस्त फ़ोन है!

"इसमें मेरे पुराने फोन की कोई ग़लती नहीं थी... लेकिन जब रोज़ ऑफ़िस में कुछ लोगों के पास iphone देखो, फिर रोज़ अख़बार में iphone का एड, जिस भी सेलेब्रिटी को देखो उसके पास iphone, तो मुझे भी लगने लगा कि अब फोन बदलने का टाइम आ गया है और iphone ले लिया।"

फिर पलक ने बियर बग़ल में रखी और भुजिया के पैकेट में जो भी कुछ बचा था, उसको अपने हाथ में लेते हुए कहना जारी रखा- "अब ऐसा ही लड़कों के साथ भी होता होगा। सबकुछ ठीक चल भी रहा हो, लेकिन आप जब देखते हो कि मार्केट में ऐसी-ऐसी लड़कियाँ है तो... शायद..."

यह कहती-कहती पलक रुक गई और फिर उसने भुजिया के ख़ाली पैकेट को अपनी बियर की बोतल के नीचे दबा दिया।

निक्की ने पलक की टोह लेने के लिए पूछा- "मयंक ने कुछ बोला क्या

तुझे?"

पलक ने निक्की को घूरते हुए थोड़ा ग़ुस्से से जवाब दिया- "नहीं मेरी माँ, किसी ने कुछ नहीं बोला...और तू न ज़्यादा जेम्स बांड बनाने की कोशिश तो मत ही किया कर।"

यह कहती हुई पलक फिर से टीवी देखने लगी। और उसे ग़ुस्से में देख, निक्की ने भी कुछ और पूछना ठीक नहीं समझा।

कुछ देर तक दोनों टीवी पर गाने देखती रहीं और बीच-बीच में बियर के एक-दो घूँट पीती रहीं। थोड़ी देर बाद निक्की ने पलक को छेड़ते हुए रिमोट को उसके पैर पर हल्के से मारा और फिर वॉल्यूम बढ़ाते हुए फिर से 15 पर कर दिया।

पलक ने भी निक्की की तरफ़ देखा और धीमे से मुस्करा दी।

पलक को मुस्कराती देख निक्की भी हँस पड़ी और फिर बोली- "चल-चल बता भी दे, इतना भी क्या।"

"Oh God ... too much है यार तू, निक्की।"

पलक ने गहरी साँस ली और अपने बाल सही करती हुई बोली- "First of all, हमारे बीच कुछ सीरियस था नहीं, बस यूँ ही थोड़ा after office वाला hangout."

बीच में टोकती हुई निक्की बोली- "हाँ-हाँ causal hangout ही था, मैंने कब कहा कि तू मयंक के बच्चे की माँ बनने वाली थी।" और फिर आँखों ने शरारत की चमक के साथ बोली- "but you never know."

यह बोलती हुई निक्की खिलखिलाकर हँस पड़ी और पलक भी "Oh God तू भी ना" कहती हुई हँस पड़ी।

हँसी थमी तो पलक ने बोलना जारी रखा- "Mayank is a nice guy, पर शायद उसको better लड़की चाहिए होगी।"

निक्की ने फिर से बीच में टोकते हुए कहा- "Hey listen, तू स्मार्ट है, दिखने में भी अच्छी है। Stable जॉब है। Mayank is also handsome but उसने भी कोई तोप नहीं मारी है अपनी लाइफ़ में।"

यह कहती हुई निक्की सोफे से उठ गई। पलक ने किचन की तरफ़ जाती निक्की को देखकर कहा- "हाँ, लेकिन फिर भी... चल छोड़ न निक्की।

अच्छा सुन, जब उठ ही गई है, तो एक आलू भुजिया का पैकेट लेती आ किचन से।''

''आलू भुजिया ख़त्म। एक बियर के साथ चार-चार आलू भुजिया खाएगी, तो कहाँ से बचेगी भुजिया? थोड़े चिप्स पड़े हैं, लाऊँ? निक्की ने किचन से पूछा।

''चल चिप्स ही ले आ।'' पलक ने जवाब दिया।

''तेरी बियर ख़त्म हो गई हो, तो तेरे लिए भी ले आऊँ?'' निक्की ने फिर फ्रिज़ खोलते हुए पलक से पूछा।

पलक ने एक साँस में दो-तीन घूँट पिए और बोली- ''हाँ, मेरी बियर भी ले आ। ठंडी हो गई क्या अच्छे से?''

निक्की किचन से दो बियर और एक चिप्स का पैकेट, जिसमें थोड़े-से ही चिप्स बचे थे, लेकर आई।

उसने पलक को एक बोतल थमाई और जैसे ही सोफे पर बैठने लगी, पलक बोली-

''अब जब तू उठी ही हुई है, तो ज़रा A.C. कम कर दे थोड़ा-सा।''

निक्की ने हल्का-सा मुँह बनाया और A.C. के बटन की तरफ़ जाने लगी। तभी पलक ने फिर से आवाज़ दी- ''और सुन, ज़रा एक चादर भी ले आना बेडरूम से प्लीज़, पैरों में हल्की-हल्की ठंड लग रही है।''

''और कुछ महारानी साहिबा?'' निक्की ने A.C. को 21 पर सेट किया और बेडरूम में जाती हुई बोली।

निक्की ने बेडरूम से चादर लाकर पलक को दी। पलक ने हाथ में पकड़ी बियर की बॉटल को नीचे रखा और फिर दोनों हाथों से चादर को फैलाकर अपने पैरों को ढँक लिया। निक्की भी सोफे के दूसरे कोने से ख़ुद को टिकाकर बैठ गई। चादर को थोड़ा अपनी ओर घसीटा और अपने पैरों को ढँक लिया।

''क्या बकवास मूवी थी ये, लेकिन सांग्स अच्छे हैं इसके।''

पलक ने टीवी पर आ रहे एक गाने को देखते हुए कहा और फिर हल्की-सी आवाज़ में वही गाना गुनगुनाने लगी।

''हाँ, गाने अच्छे हैं वैसे... मुझे तो मूवी भी ठीक-सी ही लगी... वन टाइम

टाइप की है।'' निक्की ने टीवी की तरफ़ देखते हुए कहा।

''अच्छा, ये बता तू कुछ कह रही थी about you and mayank. Like कि did he say something तेरे बारे में और may be कि उसे कोई और पसंद है?''

पलक ने निक्की की बात का कोई जवाब नहीं दिया और टीवी पर आ रहा गाना गुनगुनाती रही। पर जब उसको लगा कि निक्की अब भी उसकी तरफ़ देख रही है, तो वो चादर सही करती हुई बोली- ''देख यार, हमने एक-दूसरे से कभी शादी-वादी की बात तो की नहीं, ऐसे ही ऑफ़िस में बातें स्टार्ट हुईं... फिर लंच, मूवी और इधर-उधर की बातें। अच्छा था बात करने में, दिखने में भी अच्छा था, कम था लेकिन थोड़ा केयरिंग टाइप भी था। पर मुझे ऐसा लगा कि उसको मेरी हाइट थोड़ी कम लगती थी... और शायद उसको थोड़ी और गोरी-चिट्टी लड़की चाहिए थी।''

''कभी बोला क्या उसने कुछ तुझसे ऐसा? निक्की ने चौंकते हुए पूछा।

''नहीं, कभी सीधे मुँह पे तो कुछ नहीं बोला... लेकिन कुछ बातों से समझ आ जाता था। जैसे कि कभी-कभी मज़ाक़ करते हुए कहता कि पंजाबी लड़कियाँ तो अच्छी लंबी-चौड़ी होती हैं, तू कैसे 5 फुट 1 इंच रह गई?... और भी हैं इधर-उधर की बातें...''

यह कहकर पलक थोड़ा रुकी और पैकेट से चिप्स निकालती हुई बोली- ''बस यार, और क्या! मुझे लगा कि उसे शायद कोई मॉडल टाइप, कैटरीना टाइप लड़की चाहिए। He was nice enough not to say that at my face but फिर भी मैं उसकी second choice टाइप की ही रह जाती।''

निक्की ने भी चार-पाँच चिप्स निकालकर अपनी साइड में रख लिए और एक घूँट बियर पीती हुई बोली- ''मम्मी ठीक ही कहती थी कि ये टीवी, मूवी ने बिगाड़ दिया है बच्चों को...''

निक्की को अचानक ऐसे बोलता देख पलक ने थोड़ा चौंककर निक्की की तरफ़ देखा।

निक्की बोलती रही- ''न-न, सच में... अब तू ही देख ना, आजकल कोई बंदा क्या देखता है दिनभर टीवी पर दुबली-पतली मेकअप से पुती हुई लड़कियाँ... हॉलीवुड मूवी की तो छोड़ ही दे, यहाँ बॉलीवुड में भी या तो

साइज़ ज़ीरो देख लो या डर्टी पिक्चर टाइप। यहाँ तक कि ये ''सास- बहू टाइप सीरियल'' में भी एक सुंदर-सी लड़की ले आएँगे, जो सज-धजकर दिनभर घर में घूमती है... और काम भी करती है, पर उसका मेकअप नहीं बिड़गता। अब जो दिनभर ये सब देखेगा, वो तो यही सोचेगा न कि मेरी गर्लफ्रेंड, मेरी बीवी भी ऐसी ही होनी चाहिए। भले बर्तन धो-धोकर कमर टूट जाए, लेकिन eye liner न बिगड़े उसका।''

पलक चुपचाप निक्की की बातें सुनती हुई बियर पीती रही और बीच-बीच में चिप्स खाती रही।

''सब फालतू की बातें है। अरे, इनको ये नहीं पता कि ये सब मॉडल हैं, हीरोइन हैं, इनका काम ही है ख़ुद को मेंटेन करके रखना। पैसे मिलते हैं इनको पतला रहने के लिए। एक भी सीन, एक भी फ़ोटो बिना मेकअप के नहीं आती है इनकी। बिना मेकअप के देख लो, तो दो-चार को छोड़कर, बाक़ियों को तो कोई घास भी न डाले। और जो बचा-खुचा है, वो फ़ोटोशॉप कर दो। कितने ही वीडियो हैं Youtube पर, जहाँ ऐवें-सी दिखने वाली लड़की का फिगर चेंज करके माल टाइप बना देंगे या तो मेकअप से पूरा लुक ही चेंज कर देंगे। इतनी-सी बात समझ नहीं आती इनको ? पढ़े-लिखे ज़ाहिल हैं क्या सबके सब ?'' निक्की ने बोलते-बोलते थोड़ी साँस ली।

''तुझे पता है पलक, दिक़्क़त क्या है ??'' निक्की ने पलक की ओर देखते हुए कहा।

और पलक ने बिना कुछ बोले अपनी भौंहें ऊपर कीं और कंधे उचका दिए।

''दिक़्क़त ये है कि इस दुनिया ने औरतों को objectify करके रखा हुआ है। कोई भी समान बेचना हो, तो दो हॉट-सी लड़कियों को बिकनी में खड़ा कर दो। एक्टिंग भले ही न आती हो, बस जिसका चेहरा और फिगर अच्छा हो, उसको हीरोइन बना दो वरना आइटम सांग करवा दो। कोई चीज़ भी अच्छी तभी है, जब उसके साथ कोई हॉट-सी लड़की जुड़ी हो...

''लड़की next door type हो, तो भले ही मन की कितनी ही अच्छी क्यों न हो, एजुकेटेड हो... कोई फ़र्क नहीं पड़ता। मतलब कि आप भले ही कैसे हों, आपका प्रोडक्ट कैसा भी हो, साथ में लकड़ी मस्त-सी रखो, तो आप

अपने आप अच्छे बन जाते हो। समझ रही है न निक्की तू? पता तुझे, ये कैसा है? दूसरे के कंधे पर रखकर गोली मारने जैसा। हम कैसे हैं इससे कोई फ़र्क नहीं पड़ता, बस साथ में बंदी हॉट होनी चाहिए।''

निक्की ये कहती-कहती सोफे से उठ गई। और पलक के दोनों हाथों को पकड़कर उसे भी उठाने की कोशिश करने लगी। पलक ने निक्की को अपनी ओर खींचते हुए कहा- ''बैठ जा, बैठ जा आराम से।''

निक्की ने हाथ झटका और फिर हँसती हुई बोली- ''तुझे लग रहा है कि मुझे चढ़ गई है न?''

पलक सिर्फ़ मुस्कराई। उसको निक्की की बातें सुनने में और उसे टल्ली होता देख मज़ा आ रहा था।

''तू समझी नहीं मेरी बात को।'' निक्की ने ज़ोर देकर पलक की ओर देखते हुए कहा और पलक के हाथ से चिप्स का पैकेट छीन लिया।

''न-न... सब समझ रही हूँ।'' पलक ने अपने हाथ में बचे एक चिप्स को खाते हुए कहा।

निक्की बोलती रही- ''जैसा अपन लोग नहीं करते हैं कि हमें Coach का पर्स चाहिए, Louis vuitton का पर्स चाहिए, भले ही एक पर्स ख़रीदने में महीने की आधी सैलरी निकल जाए, लेकिन ख़ुद को अमीर दिखाने के लिए पर्स का सहारा ले लेंगे। और भले ही उस पर्स के अंदर coin रखने के लिए jeweller के यहाँ से फ्री में मिला छोटा वाला पर्स रखा हो, लेकिन tag के लिए branded पर्स ही चाहिए, बिल्कुल ऐसा ही अपन लोगों के साथ हो गया है। This world made us a fucking commodity!''

निक्की ने सिर पर हाथ रखा और ऊपर देखती हुई सोचने की कोशिश करने लगी। फिर पलक की तरफ़ देखकर पूछा- ''अरे, क्या बोलते हैं हिंदी में उसे?''

''वस्तु'' पलक झट से बोली।

निक्की ने ख़ुश होते हुए चुटकी बजाई और कहा- ''Exactly- वस्तु, infact जैसे essay में लिखा करते थे न कि 'भोग की वस्तु', वैसे ही This world made us a fucking 'भोग की वस्तु'!'' इसके साथ ही निक्की ने ताली के लिए पलक की ओर हाथ बढ़ाया और दोनों ज़ोर से हँस पड़ीं।

निक्की ने चिप्स खाए और बियर के घूँट पीती हुई बोली- ''सच में यार, इस दुनिया ने हम लड़कियों को एक commodity बना दिया है और हम कुछ कर भी नहीं रही हैं। असल में ग़लती हम लोगों की है। वो बना रहे हैं और हम बन रही हैं। मूवी में हॉट लड़कियाँ आती हैं, तो हम भी लग जाती हैं वैसी ही ड्रेस ढूँढ़ने में...हमें कोई शौक़ थोड़े न है घंटों शॉपिंग करने का, पर फिर वही... लड़कियों को तो सजकर ही आना है... भले ही ड्रेस कंफर्टेबल हो या न हो...

''अरे भई... हमको भी ज़िंदिगीभर एक शर्ट और जींस पहननी हो, तो हम भी आधे घंटे में शॉपिंग कर लें... और ऊपर से, अगर थोड़े नॉर्मल कपड़े पहन लो, तो बहन जी का ठप्पा लगते देर नहीं लगती। अब तू अपन लोगों को ही देख न, उस सांग पर हम म्यूज़िक एंजॉय नहीं कर रहे थे, कैटरीना के टॉप का पैटर्न देख रहे थे। फिर उसकी पतली कमर देखकर, अपनी कमर देखो... तो बस सारा मूड ख़राब।''

पलक हँसी और उसकी हाँ में हाँ मिलाती हुई बोली- ''हा-हा-हा... बात तो सही है तेरी।''

निक्की ने बात को आगे बढ़ाते हुए कहा- ''और नहीं तो क्या! मूवी देखते हुए जब कंधे पर हाथ रखकर... जब धीरे-धीरे इधर-उधर टटोलते हो, तब साइज़ का ध्यान नहीं आता... मुफ़्त का जो मिल रहा है, ले लो... और बाहर आते ही साइज़, हाइट, कलर सब दिखने लगता है।''

निक्की की इस बात पर पलक खिलखिलाकर हँस पड़ी और ताली बजाती हुई बोली- ''निक्की डार्लिंग, एक्सपीरियंस (experience) बोल रहा है ये तो।''

निक्की ने भी आँख मारते हुए कहा- ''नहीं रे, एक फ्रेंड ने बताया था ऐसा।''

और फिर दोनों खिलखिलाकर हँसने लगीं।

पलक ने निक्की से चिप्स का पैकेट माँगने के लिए हाथ बढ़ाया। निक्की ने पैकेट टटोलकर देखा और पलक को देती हुई बोली- ''चार-पाँच ही बचे हैं... लास्ट का मेरे लिए छोड़ देना।''

पलक ने हाँ में सिर हिलाया और पैकेट ले लिया। अगले दो-तीन मिनट,

दोनों बियर पीती हुई टीवी देखती रहीं।

फिर निक्की ने पलक की ओर देखते हुए पूछा- ''तुझे क्या लगता है, क्या करना चाहिए?''

''किस बारे में?'' पलक ने पूछा।

''यही कि लड़कियों के बारे में जो एक perspective बनाया जा रहा है उस बारे में।''

पलक सोफे से उठी और निक्की के सामने जाकर अमिताभ बच्चन के अंदाज़ में बोली- ''तो अब आपके सामने है एक करोड़ रुपए का सवाल... और आपके ऑप्शंस है...''

पर जब पलक ने देखा कि निक्की उसकी एक्टिंग पर हँसने के बजाय उसको घूरकर देखने लगी, तो वह बोली- ''चल, तू ही बता दे कि क्या करना चाहिए।''

निक्की बोली- ''तू समझ नहीं रही है, पलक, ये डबल ट्रैप है। देख, पहले हॉट लड़कियों को हर जगह दिखाकर बंदों के मन में एक्सपेक्टेशन बढ़ा दो और नॉर्मल लड़की के सेल्फ़ एस्टीम (self esteem) की माँ-बहन कर दो। फिर अगर कोई मॉडर्न बनने की कोशिश करे, तो उसे 'easily avaliable' दिखा दो और बोलो कि मॉडर्न कपड़े नहीं पहनो, इससे लोग छेड़ेंगे, और हो सकता है कि रेप भी हो जाए। समझी कुछ? ये सीसीटीवी कैमरे, हेल्प लाइन वग़ैरह से कुछ नहीं होगा। हो सकता है, छेड़छाड़, रेप कुछ कम हो जाएँ, लेकिन दिमाग़ में घुसी उस बात का क्या होगा, जो हर घड़ी, हर जगह ये एहसास कराती है कि women are an object... women are a commodity.''

पलक को लगा कि निक्की कुछ सीरियस-सी होने लगी है, तो उसने माहौल हल्का करने के लिए कहा- ''यार, अब object का या तो Java में देखना पड़ेगा या Physics में... पर हाँ, commodity है तो demand-supply curve से solve हो जाएगी।'' यह कहती हुई पलक हँसी और वॉशरूम की ओर बढ़ गई।

''पलक, मैं ख़ून पी जाऊँगी तेरा! इधर आ वापस, थोड़ी देर में चली जाना।'' निक्की को ऐसा लगा कि पलक इस टॉपिक को बदलने के लिए वहाँ

से उठकर चली गई।

"बस अभी आई... तब तक तू सोच कि क्या करना चाहिए।" पलक ने वॉशरूम की तरफ़ जाते हुए कहा।

......

निक्की टीवी के ठीक सामने सोफे पर बैठ गई। कुछ देर बाद, निक्की ने जैसे ही पलक को वॉशरूम से निकलते देखा, तो बोली- "सुन, तूने वो मैसेज पढ़ा था जापान वाला? वही जो व्हाट्सएप्प में आया था?"

"कौन-सा मैसेज?" पलक ने पूछा।

"अरे वो था न... जिसमें लिखा था कि जब जापान में किसी चीज़ के दाम बढ़ने लगते हैं, तो वहाँ के लोग..."

पलक को वो मैसेज याद आ गया और उसने निक्की की बात बीच में काटते हुए कहा- "हाँ-हाँ, कि जब किसी चीज़ के प्राइस बढ़ जाएँ, तो लोग उसको ख़रीदना बंद कर देते हैं... फिर थोड़े दिनों में ख़ुद ही प्राइस अपने आप कम हो जाते हैं।"

" एकदम सही जवाब।" निक्की ने पलक की तरफ़ देखते हुए, शाबाशी देने के अंदाज़ में बोला- "हमको भी ऐसा ही कुछ करना चाहिए। कोई भी चीज़ हो, जो women को ऑबजेक्टिफाइ (objectify) करे या कमॉडिटी (commodity) जैसा दिखाने की कोशिश करे, उसका सोशल बायकॉट (social boycott) कर दो।"

पलक अब उसकी बात को ध्यान से सुन रही थी।

निक्की आगे बोली- "अब ये देख न, एक कार के एड में दो मॉडल्स, बग़ल में ज़बरदस्ती खड़ी कर देते हैं...क्यों? क्योंकि मार्केटिंग वाले जानते हैं कि लोग कार देखे न देखें, इन मिनी स्कर्ट में खड़ी लड़कियों की वजह से एड ज़रूर देखेंगे। एड देखेंगे तो जल्दी मार्केट कवर होगा, सेल बढ़ेगी। सस्ता, cheap, मगर वर्किंग फ़ॉर्मूला है यह।

"कार की सेल हो, इससे कोई दिक़्क़त नहीं है, पर एक इमेज चली जाती है कि ये कार ख़रीदोगे, तो ऐसी हॉट लड़कियाँ अपने आप मिल जाएँगी। फिर यही सोच मूवी, किसी और एड, मैग्ज़ीन के ज़रिए और मज़बूत होती चली जाती है। और अगर किसी अमीर बंदे को, जिसके पास ऐसी कोई कार हो,

कोई लड़की मना कर दे, तो बस ''No one killed Jessica'' जैसी मूवी बन जाती है।''

निक्की ने थोड़ा झुककर, पलक की आँखों में आँखें डालते हुए कहा- ''अब तू यह सोच कि अगर ऐसी कोई कार सिर्फ़ इसलिए न बिके, क्योंकि उसने ज़बरदस्ती मॉडल्स का यूज़ किया अपने प्रॉडक्ट को बेमतलब की सेक्शुअल अपील देने के लिए, तो ? जैसे कि मान ले, जो उस कार को ख़रीदे उसे सोसाइटी में ठरकी टाइप का मानना शुरू कर दें। जैसे कि अगर किसी ब्यूटी प्रॉडक्ट में highly photoshopped मॉडल आए, तो हम उसे ख़रीदना कम कर दें। या फिर जैसे, क्लीवेज (cleavage) की फ़ोटो छाप-छापकर जो पैसा कमाने वाले अख़बार और मैग्ज़ीन हैं, उनके पढ़ने वालों का भी सोसाइटी बायकॉट कर दे...

''Same goes with such movies, item songs और anything that just exploits women. Or objectifies women for profit! समझ ले कि जैसे अगर कहीं भी किसी औरत को एक सामान की तरह पेश किया जाए, तो बाक़ी औरतें उसका बायकॉट कर दें। अब बंदे इसकी शुरुआत करें, इसका इंतज़ार करना तो ठीक नहीं, पर लड़कियाँ ख़ुद भी ऐसा कर दें, तो बात बन जाएगी।''

निक्की ने बोलना जारी रखा। और अब तो पलक को भी उसकी बातें सुनने में मज़ा आने लगा था।

''तू देख ना, सबको पता है कि हर कोई पॉर्न देखता ही है... चल सब नहीं, तो almost सब और सबको पता है कि उसमें क्या होता है। लेकिन सोसाइटी ने उसका सोशल बायकॉट किया हुआ है। एक मिनिस्टर को शायद कहीं रिज़ाइन करना पड़ा था, क्योंकि वो मीटिंग में पॉर्न देखते हुए पकड़ा गया। पॉर्न देखना है तो देखो, लेकिन सोच अगर पॉर्न पब्लिक में चलने लगे, तो कुछ न कुछ इंपैक्ट होगा न सोसाइटी में ? और सोसाइटी को भी लगता है कि पब्लिक में पॉर्न देखना उसके लिए अच्छा नहीं है, सो सब अवॉयड करते हैं... और इधर अब तू LGBT rights को ही ले ले। धीरे-धीरे सोसाइटी ने एक्सेप्टेंस दी, तो दिल्ली में भी LGBT मार्च निकल गया।''

पलक, जो कि अब तक बड़े ध्यान से निक्की की बातें सुन रही थी, हामी

भरने लगी।

निक्की अपनी बात आगे बढ़ाती हुई बोली- "You see, I think सोशल बॉयकॉट और सोशल एक्सेप्टेंस में ज़्यादा पावर है किसी रूल या लॉ के मुक़ाबले। मुझे क्या लगता है... मालूम कि सोशल बायकॉट से ये औरतों को 'भोग की वस्तु' वाली जो प्रॉब्लम है न, वो ख़त्म हो सकती है... पूरी न सही, लेकिन का़फ़ी हद तक!"

"सोशल बायकॉट को क्या बोलते हैं हिंदी में?" निक्की ने पलक की तर.फ़ देखते हुए पूछा।

"सामाजिक बहिष्कार।" पलक ने फटाक से कहा।

"सामाजिक बहिष्कार- सही जवाब।" निक्की ने दोहराते हुए कहा। उसने प्रसिद्ध नेता के अंदाज़ में बोलना शुरू किया- " तो मेरी प्यारी बहनो..."

यह सुनकर पलक के चेहरे पर मुस्कान आ गई।

निक्की आगे बोली- " तो मेरी प्यारी बहनो, अगर कोई औरतों को एक 'भोग की वस्तु' समझकर अपने फ़ायदे के लिए इस्तेमाल करे, तो आपको उसका विरोध करना चाहिए कि नहीं करना चाहिए?"

"करना चाहिए!"

ज़ोर से हँसती हुई पलक ने वैसे ही हाथ उठाकर कहा, जैसा कि भीड़ बड़े नेताओं के भाषण के समय नारे लगाती हुई बोलती है।

"उसका सामाजिक बहिष्कार करना चाहिए कि नहीं करना चाहिए?"

" करना चाहिए!" पलक इस बार और ज़ोर से नारा लगाती हुई बोली।

पलक हँसती-हँसती, सोफे पर बैठी-बैठी एक हाथ से अपना पेट पकड़कर और दूसरे हाथ से नारे लगाती हुई "निक्की-निक्की" चिल्लाने लगी... ठीक वैसे ही जैसे चुनाव के दौरान लोग नेताओं के नाम के नारे लगाते हैं।

हँसती-हँसती निक्की भी पलक को चुप कराती हुई बोली- "अरे, थोड़ा धीरे मेरी माँ, सवा बारह हो रहे हैं।"

दोनों ने अपने मुँह पर हाथ रखा और ख़ूब देर तक हँसती रहीं।

थोड़ी देर बाद जब दोनों की हँसी रुकी, तो निक्की ने अपने बालों को हाथ से सही किया और टीवी के साइड में रखी अपनी बियर की बॉटल को लेने के लिए उठी।

"ओह्ह, मेरी बियर तो गरम हो गई...ला ज़रा, चिप्स बढ़ा दे।'' निक्की ने थोड़ा दुखी होते हुए कहा। निक्की बातों के चक्कर में बियर पीना भूल गई थी।

वहीं पलक की बोतल में थोड़ी-सी ही बियर बची थी।

"चिप्स तो ख़त्म हो गए।''

"मैंने बोला था न कि लास्ट का बचा देना मेरे लिए।''

"कुछ बचा ही नहीं था उसमें, लास्ट का ही मिला था मुझे।'' पलक ने चिप्स के पैकेट को फाड़कर दिखाते हुए कहा।

निक्की को बियर का स्वाद कम पसंद था। उसे साथ में कुछ नमकीन चाहिए ही होता था। चिप्स ख़त्म हो गए, यह सुनकर वो चिढ़ गई और पलक से बोली- "यार अब मैं नहीं जानती, पहले तो भुजिया खा गई और अब चिप्स भी ख़त्म कर दिए। अब मैं अपनी बियर कैसे ख़त्म करूँ बिना चिप्स या भुजिया के? कुछ और है भी नहीं अभी घर में... जा एक काम कर, नीचे वाली दुकान अभी बंद होने ही वाली होगी, जा, फटाक से चीता बन जा और से दौड़कर दो पैकेट आलू भुजिया ले आ।''

वैसे, भुजिया तो पलक को भी चाहिए थी, लेकिन नीचे जाने का मन नहीं था। वो निक्की की बोतल की तरफ़ देखती हुई बोली- " अरे, ज़रा-सी बियर ही तो बची है तेरी, ऐसे ही पी ले न... अभी कहाँ जाएँगे नीचे?''

पर निक्की को तो कुछ नमकीन चाहिए ही था, बियर के साथ- "बस बिल्डिंग से उतरते ही तो है दुकान, इतना कौन-सी दूर है? और सुन, अगली बार से न अपने लिए आलू भुजिया का पूरा डिब्बा ही ले आना 24 पैकेट वाला।''

पलक ने हल्की-सी आह भरी और खड़े होते हुए ख़ुद के कपड़ों पर नज़र दौड़ाई।

"फटाफट से एक चुन्नी डाल या फिर एक काम कर, देख वहाँ बेड पर मेरा एक स्टोल पड़ा होगा, उसे ले जा। फटाफट जा, वरना दुकान बंद हो जाएगी।'' निक्की ने बेडरूम की तरफ़ इशारा करते हुए कहा।

पलक बेमन से बेडरूम की तरफ़ स्टोल लेने के लिए बढ़ी। लेकिन उसकी चाल से ऐसा लगा कि उसका नीचे दुकान तक जाने का मन बिल्कुल

नहीं है।

यह बात निक्की को भी समझ में आ गई थी। उसने पलक की ढीली चाल पर तंज कसते हुए कहा– "थोड़ा जल्दी कर ले मेरी माँ, वरना सोच ले, एक पापड़ सेंककर, उसमें प्याज़-नींबू डालकर देगी तू।"

जाते-जाते पलक पलटी और फिर निक्की की तरफ़ गौर से देखती हुई बोली– "तू समझ रही है निक्की, ये क्या हो रहा है?"

निक्की ने इधर उधर देखा और फिर कंधे उचकाकर पूछा– "क्या हो रहा है?"

पलक चेहरा गंभीर करती हुई बोली– "असल में, ये भुजिया हमारे बीच लड़ाई करवा रही है और ऐसा पर्सपेक्टिव (perspective) बना रही है कि इसके बिना बियर की कोई वैल्यू (value) ही नहीं है।"

निक्की उसे ग़ौर से देखने लगी!

"तो तुझे नहीं लगता कि हमें इसका सोशल बायकॉट कर देना चाहिए और बिना भुजिया के ही, बची हुई बियर एक ही साँस में पी लेनी चाहिए? क्या कहती है?" यह कहती हुई पलक मुस्कराने लगी।

निक्की की बोतल उसके पास ही थी। पलक ने भी अपनी बॉटल उठाई और निक्की के सामने जाकर हँसती हुई बोली– "मेरी प्यारी बहनो, जो भुजिया, बियर की वैल्यू (value) कम कर दे, हमें उसका सामाजिक बहिष्कार करना चाहिए कि नहीं करना चाहिए?"

"करना चाहिए!" निक्की भी ज़ोर से हँसती हुई बोली।

"जो भुजिया, दो बहनों के बीच झगड़ा करवा दे, हमें उसका सामाजिक बहिष्कार करना चाहिए कि नहीं करना चाहिए?"

"करना चाहिए!" निक्की इस बार और ज़ोर से हँसती हुई बोली।

"चियर्स!!" दोनों एक साथ बोल उठीं।

मेरा रूम

C- 108, इन्क्लेव अपार्टमेंट, अँधेरी-ईस्ट, मुंबई 400093। मेरे किराए के 1 BHK फ्लैट का एड्रेस।

हर बैचलर फ्लैट की तरह यह भी बस एक फ्लैट है! एक डोरबेल के साथ ये फ्लैट शुरू होता है... कुछ गद्दे... एक टीवी... गुमशुदा की तलाश में घूमते कुछ जूते... ख़ुद की ही नाक बंद किए हुए कई सारे मोज़े... एक प्यारा, पर बिखरा हुआ किचन और पूरे घर में टहलते हुए अख़बार।

बिल्कुल वैसा ही जैसा, हर दूसरा बैचलर रूम होता है।

पर मेरे फ्लैट में कुछ तो अलग है।

क्या?

ये पता नहीं।

हम चार दोस्त इस फ्लैट में रहते हैं। कुछ से मैं कभी-कभी सिर्फ़ वीकएंड पर ही मिल पाता हूँ और कुछ हमेशा टीवी के आगे बैठे पूरी बिल्डिंग को एम टीवी रोडीज़ (MTV Rodies) की लाइव कमेंट्री सुनाते रहते हैं।

मैं रोज़ सुबह 9 से 10 बजे के बीच इस फ्लैट को छोड़ देता हूँ और रात

को डोरबेल बजाने से पहले ही NDTV प्रॉफ़िट की आवाज़ सुनकर समझ जाता हूँ कि साढ़े नौ बज चुके हैं।

साथ वालों का तो पता नहीं, पर मेरा पूरा फ्लैट मुझसे बहुत परेशान रहता है।

सुबह आँख खुलते ही सब चालू हो जाते हैं, न जाने क्या-क्या बड़बड़ाते रहते हैं। अच्छा है जो मैं उनकी बातों पर ध्यान नहीं देता, वरना तो मेरा भगवान ही मालिक... !

जैसे ही सुबह सोकर उठूँगा, चादर किसी बूढ़ी सास की तरह पड़ी-पड़ी चिल्लाने लगेगी। "अरे! आज तो मुझे तह करके ऑफ़िस जा। अभी वो बाई आएगी और गद्दों के बीच मुझे दबाकर चली जाएगी। दिनभर फिनाइल की बदबू से मेरा दम घुटा रहता है। और ये मुआ, नीला गद्दा तो ऐसा पड़ा रहता है मेरे ऊपर कि साँस भी न ली जाती मुझसे! रात को भी मुझे बिना झाड़े ही सो गया था! अरे, दो मिनट भी न लगेगा मुझे तह करने में... कहाँ जा रहा है? अरे नासपीटे कभी तो सुन लिया कर मेरी।"

मैं थोड़े शांत स्वभाव का हूँ। चुपचाप उसकी बातों को अनसुना कर दो घंटे से दरवाज़े के बाहर पड़े अख़बार और दूध के पैकेट को उठाने चला जाता हूँ।

जब तक चाय बनती है, उस बीच मैं ब्रश कर लेता हूँ।

मल्टी-टास्किंग... जॉब में रहकर बस यही तो सीखा है मैंने आज तक। पर इसमें भी सबको दिक़्क़त है।

चाय की पतीली कहती है- "सिर्फ़ पानी डालने से मैं साफ़ नहीं होऊँगी... कभी तो ढंग से साफ़ किया करो मुझे। जब नई-नई आई थी, तब कैसी ऐश्वर्या जैसी चमकती थी। अब देखो क्या हालत हो गई है मेरी। और यह पैकेट का दूध इस्तेमाल करना बंद करो, न जाने क्या खोट है इसके मन में। चाय काला कम करे है...ये ज़्यादा चिपके रहे है मुझसे। अब तो किसी दिन विम का फेशियल होगा, तभी चमक लौटेगी मेरी!" चीनी की अपनी शिकायतें हैं- "मुझे किसी बंद डिब्बे में रखा करो, खुली पड़ी रहती हूँ पॉलीथिन में। और हाँ! ज़रा इस नमक को मुझसे दूर ही रखा करो। सब्ज़ी के लिए निकलते हुए धीरे से थोड़ा-सा मुझ पर गिर जाएगा और एक जैसे रंग का फ़ायदा उठाकर ये

छिछोरा, पड़ा रहता है इधर ही। फिर बाद में दीपू बोलेगा कि आजकल शक्कर में मिलावट ज़्यादा हो रही है...अगली बार से शुगर-क्यूब लेकर आएँगे। ये भी कोई बात हुई। करे कोई ,भरे कोई और नाम ख़राब हो वो अलग!''

मेरा टूथ ब्रश भी कुछ कम नहीं है। जिस महीने कोलगेट पेस्ट लाओ, उस महीने ख़ुशी-ख़ुशी रहता है और जब पेप्सोडेंट ले आओ, तो मुँह फूल जाता है उसका। कभी-कभी तो शेविंग किट के पीछे छुप जाएगा, मिलेगा ही नही घंटों तक। सच में, इतनी ब्रांड मार्केटिंग मैंने कहीं नहीं देखी। सोच रहा हूँ कि थोड़ा बड़ा हो जाए, तो इसको MBA करवा दूँ।

कपड़े ढूँढ़ते हुए अगर ग़लती से पुरानी अटैची खुल गई, तो समझो आफ़त आ गई।

''पूरे 1800 की थी मैं! दुकान के डिस्प्ले में लगी थी, जब तुम लाए थे। नेहरा ने क्या बोल दिया कि चेक वाली शर्ट तुम पर अच्छी नहीं लगती... तब से इस पुराने स्वेटर के साथ पड़ी-पड़ी सड़ रही हूँ। जानती हूँ, आज भी तुम मुझे नहीं ले जाओगे। जाओ, ख़ुश रहो! सफ़ेद कुरते के नीचे है तुम्हारी मैरून शर्ट, वही ढूँढ़ने आए थे न तुम ?''

कि तभी डायरी बोल पड़ी - ''अरे! नज़रें न चुराओ। कुछ नहीं कहूँगी मैं।'' पुराने कपड़ों के बीच छिपी डायरी ये बात जानती है कि पिछले दो सालों में मेरी कभी हिम्मत नहीं हुई उसे दुबारा छूने की। जानता हूँ, उसकी जगह वहाँ नहीं है। वो मेरे दिल के क़रीब है। ज़रूर दम घुटता होगा उसका कपड़ों की सीलन के बीच।

पर क्या करूँ ? अब उसकी झुकती निगाहों के लिए फिर से छह पैग नहीं पीना चाहता।

बस ऐसा ही, न जाने क्या-क्या है मेरे रूम में।

जो जैसा, उसकी उतनी अक़्ल और जिसकी जितनी अक़्ल उसकी उतनी बातें।

कभी-कभी तो सिर फट जाता है बकवास सुन-सुनकर।

क्यों सुनूँ मैं इनकी बातें ?

मानता हूँ कि उनकी सारी बातें बकवास नहीं होतीं, न ही वो किसी और से ऐसा कहते हैं... पर फिर भी मैं ही क्यों ?

क्योंकि मैं ज़्यादा बुरा नहीं मानता इसलिए? तो क्या, जिनता मन करे उतना पका दो सामने वाले को... अरे, ये भी कोई बात हुई। अभी परसों तक सैलरी आ जाएगी।

सबकुछ बदल दूँगा, सबकुछ नया। कोई पुरानी चीज़ नहीं, कोई पुरानी बात नहीं। पर शायद वो अपनापन भी न रहे। जैसे गीली मिट्टी की ख़ुशबू, जैसे घी लगी बाजरे की रोटी।

और शायद तब ऑफ़िस को जाते हुए, तवा चीखकर ये नहीं कहेगा कि टाइम पर खा लेना। रोटियाँ ठंडी हो जाएँगी।

और न ही दरवाज़ा अपनी बूढ़ी आँखों को उठाकर बोलेगा- "सँभलकर जाना और हो सके तो जल्दी वापस आ जाना"

पर हो सकता है, नई चीज़ें और भी अच्छी हों। ज़्यादा ख़ूबसूरत, ज़्यादा प्यारी। तो क्या बदल दूँ चीज़ों को?

पर यह भी लगता है कि आदत-सी हो गई है इन सबकी मुझे और इनको मेरी।

चलो, फिर चलने दो जो भी है, जैसा भी है उसे वैसा ही।

"क्यों रे छोटे! फिर से मुझे बदलने की बात सोच रहा है न तू...! देख ले भाई, अब तेरी मर्ज़ी। पर इस बार ज़रा दीवारों के रंग के मैचिंग में लाना, वरना बेवजह खिड़की का मुँह फूला ही रहेगा... अगली दिवाली तक।"

मेरी खिड़कियों के परदे भी ना...!

ठिठुरते हाथ

''टिन-टिन-टिन!!''

कॉलबेल की आवाज़ से मेरी नींद टूटी।

रजाई से जैसे ही मुँह बाहर निकला, ठंडी हवा ने मुझे ठिठुरा दिया। मुश्किल से एक आँख खोलने की कोशिश की, लेकिन पलकों ने रोशनी को अंदर आने से मना कर दिया।

'होगा कोई छोटा बच्चा, यूँ ही शरारत कर रहा होगा।' यह सोचकर मैंने फिर से अपना मुँह रजाई से ढँक लिया- 'उ.फ कितनी ठंड है।'

कॉलबेल अब भी बज रही थी।

उठना ज़रूरी-सा लगने लगा, लेकिन इस ठंड में उठना मुझ पर नागवार गुज़र रहा था।

कॉलबेल ने तलवार खींच ली और रजाई ने गर्मी की ढाल। कुछ पलों के लिए घमासान द्वंद्व छिड़ गया।

फिर मैंने रजाई के अंदर से ही झुँझलाते हुए आवाज़ लगाई- ''कौन है भाई?''

''दूधवाला, साहब।'' बाहर से आवाज़ आई।

कानों ने दूध सुना और दिल ने उससे गरमागरम चाय बनाकर बंद आँखों के सामने रख दिया। आँखों ने आगे बढ़कर पीठ के पीछे दो तकिए रख दिए, रजाई सीने तक ओढ़ा दी और टीवी चालू कर दिया।

अब तो उठना ही था।

एक पैर फर्श पर रखते ही लगा, मानो रात ने बर्फ़ की क़ालीन बिछा दी हो।

उठते ही नज़र घड़ी पर पड़ी, नौ बज चुके थे।

''कितनी देर में दूध लाता है साला। सब हरामख़ोर हो गए हैं। शराफ़त से रहो, तो सिर पर चढ़कर नाचने लगते हैं।'' बड़बड़ाते हुए मैंने शॉल लपेटी और दरवाज़े की ओर बढ़ गया।

''नौ बज रहे हैं और अब आ रहे हो दूध देने।'' मैंने दरवाज़ा खोलते ही, अपने नींद तोड़ने की खुन्नस दूधवाले पर निकाल दी।

''क्या करें बाबू जी, बहुत ठंड है। भैंसिया भी अकड़ी रहे है, ऊपर से रस्ते में इतना कोहरा।'' यह कहते हुए उसने पतीली में दूध उड़ेल दिया।

दरवाज़े पर खड़े-खड़े ठंडी हवा ने मुझे ठिठुरा दिया। मैं दूधवाले को और डाँटना चाहता था, लेकिन मैंने सोचा कि जब पैसे लेने आएगा तब बताऊँगा, और झट से दरवाज़ा बंद कर दिया।

नींद तो अब टूट चुकी ही थी, लेकिन बदन अब भी ठिठुर रहा था।

मुँह धोने के लिए जैसे ही पानी हाथ में लिया, तो पूरे बदन में सिहरन-सी दौड़ उठी। मैंने उँगलियों में दो बूँद पानी लिया और अपनी आँखें पोंछ लीं। बस यही था इस कड़कड़ाती ठंड में मेरा मुँह धोना।

मैंने चारों ओर नज़रें दौड़ाईं।

हर खिड़की, हर दरवाज़ा बंद था, कमरे में रूम हीटर भी चल रहा था, फिर भी न जाने कहाँ से ठंडी हवा आकर मुझे मुँह चिढ़ा रही थी।

सोचा, चलो अब चाय बनाई जाए।

पर इतनी ठंड में किचन में खड़े होकर चाय बनाना मुझे ऐसा लगा, मानो किसी ने हिमालय पर जाकर तपस्या करने की सज़ा दे दी हो। जब तक पतीली गरमागरम चाय बना पाती, तब तक तो मैं बर्फ़ की एक चोटी बन हिमालय में

मिल चुका होता।

इसी उधेड़बुन में मेरी नज़र दीवार पर टँगे कैलेंडर पर पड़ी। आज 29 तारीख़ थी। 29 दिसंबर। 29 दिसंबर को एक लाल रंग के घेरे ने पकड़ा हुआ था और नीचे छोटा-सा लिखा था- ताऊ।

मैंने गहरी साँस ली और वापस आकर बिस्तर पर बैठ गया।

'क्या ज़रूरत है ताऊ जी को यहाँ आने की, वो भी इतनी ठंड में? ऊपर से स्टेशन लेने और जाना पड़ेगा इनको अब। वैसे तो चार गाँवों में कहीं भी घुमवा लो, पर यहाँ 9 नंबर प्लेटफ़ॉर्म से अजमेरी गेट निकलने को बोलो, तो हर बार पहाड़गंज निकल जाएँगे। अरे, आराम से घर में रहो अपने, तिल के लड्डू और गुड़ खाओ मज़े से गाँव में। यहाँ दिल्ली में क्या रखा है? हम्म... होगा कोई दफ़्तरी काम! शायद पेंशन-वेंशन का चक्कर है...'

इस ठंड में स्टेशन जाने की बात सोचकर ही मेरा मन उदास हो गया।

जाना तो मैं नहीं चाहता था, पर पापा ने दो बार कॉल करके कहा था कि ताऊ जी को लेने चले जाना, इस उम्र में उनसे अकेले नहीं होता। पापा की बात थी, वरना इस ठंड में हाथ को हाथ नहीं सूझता, तो रिश्ते-नातों की क्या ही जगह।

स्टेशन का रास्ता मेरे रूम से 10-15 मिनट का ही था, पर 10-15 मिनट भी बहुत होते हैं मुझ जैसे के लिए इस ठंड में।

मैंने जैकेट पहना, सिर पर बंदर टोपी, गले में मफ़लर, पैरों में गरम मोज़े और उस पर जूते पहने। राणा प्रताप ने भी ख़ुद को कम तैयार किया होगा हल्दी घाटी के लिए निकलने से पहले।

जैसे ही मैं घर से बाहर निकला, तो ठंड का असली चेहरा दिखा। घर पर तो लाइट मेकअप में थी, पर बाहर कोहरे की मोटी परत भी सर्दी के चेहरे की झुर्रियाँ न छुपा सकी, कुछ पिंपल भी फूटकर आने को थे। ज़रा भी ख़ूबसूरत नहीं।

कोहरा भी खेलने के मूड में था। दूर से आती हुई दो लाइटों को पास आते-आते कभी टैक्सी बना दे रहा था तो कभी बस। साइकिल और ठेले वाले तो सीधे पास आकर ठप्पा मार दे रहे थे।

जैसे–तैसे ठंड में ठिठुरता हुआ मैं रेलवे स्टेशन पहुँचा, तो पता चला कि जिस ट्रेन से ताऊ जी आ रहे हैं, वो तीन घंटे लेट है।

मूड का दही जम गया।

'यहाँ साला सब ऐसा ही है। सब ऊपर से लेकर नीचे तक लेट–लती.फ हैं, तो ट्रेन को तो लेट होना ही था। और ताऊ जी भी हद करते हैं! क्या ज़रूरत थी पैसेंजर ट्रेन से आने की, कम से कम शताब्दी एक्सप्रेस से आते तो इतना लेट तो नहीं होती। अपना तो खिड़की से बाहर उलटे चलते हुए पेड़, खंभे देखो और हम साला यहाँ ठंड में मरा लें अपनी।'

तीन घंटे स्टेशन पर इंतज़ार करना तो बेवकू.फी थी। सोचा, घर चलकर रजाई में बैठकर चाय का मज़ा लिया जाए... और हो सकता है, तब तक कोहरा भी छँट जाए।

लौटते हुए इन्क्वायरी पर रुका। पता चला कि कोहरे के कारण सभी ट्रेनें लेट चल रही हैं।

'वैसे बाहर कोहरा है भी ज़बरदस्त। इधर रोड पर तो कुछ दिख नहीं रहा था सही–सा, उस पर यहाँ तो अभी भी बाबा आदम के ज़माने वाली ट्रेन ही दौड़ा रहे हैं पटरियों पर। भिड़–भिड़ा गई, पटरी से उतर गई तो अलग आ.फत। कितने ही मर जाएँगे बेमतलब में। बस, बस, बस!'

एक्सीडेंट की सोचकर मैं सिहर उठा। थोड़ा सेंटीमेंटल (भावुक) जो हूँ मैं।

'और ताऊ जी भी बड़ी मुश्किल से अपनी पेंशन से चार लोगों का परिवार चलाते हैं। वो कैसे आएँगे शताब्दी से?'

मेरे क़दम धीरे–धीरे रूम की तर.फ बढ़ने लगे।

रास्ते में थोड़ा कोहरा अब भी बाक़ी था। आगे बढ़ा तो बाबूलाल की टपरी पर नज़र पड़ी।

चूल्हे पर रखी पतीली में चाय उबल रही थी। मन ललचा गया।

मेरा रूम पास में ही था, लेकिन वापस जाकर कौन चाय बनाए, ये सोचकर मैं टपरी की ओर बढ़ गया।

बाबूलाल से मेरी जान–पहचान ठीक–ठाक सी थी। रूम पर आते–जाते समय दुआ–सलाम हो जाती थी, पर चाय मैं ज़्यादातर ख़ुद रूम पर ही बनाकर

पीता था।

“बाबूलाल, एक गरमागरम चाय पिलाओ!” मैंने टपरी पर पहुँचते ही कहा।

“अभी पिलाते हैं! पर आज सुबह-सुबह इतनी ठंड में कहाँ निकल पड़े भैया?”

“अरे कहाँ, वो तो...”

मैं चूल्हे के पास स्टूल लगाकर बैठ गया और आग तापते हुए उसको ट्रेन लेट होने की कहानी सुनाई। तब तक चाय भी बन गई।

“ये लो भैया, चाय। बिस्कुट लोगे?” चाय बढ़ाते हुए बाबूलाल ने मुझसे पूछा।

मैंने चाय पकड़ी और इशारे से बिस्कुट के लिए मना कर दिया।

चाय की चुस्कियाँ लेते लेते अचानक मेरी नज़र, पास के बिजली के खंभे पर पड़ी। उसके बग़ल में एक बूढ़ा और एक बच्चा बैठे हुए थे।

बूढ़ा 70-80 साल का रहा होगा और बच्चा यही कोई 8-9 साल का।

बच्चे के बदन पर कपड़ों के नाम पर एक फटी-सी कमीज़ और एक घुटनों के नीचे तक लटकी हुई हरे रंग की नेकर। बूढ़े ने ख़ुद को एक फटे-से कंबल में समेट रखा था।

अरे कंबल कहाँ, वो तो फटा हुआ एक जूट का बोरा था- मैं ख़ुद ही अपनी नादानी पर मुस्करा दिया, शायद कोहरे की वजह से ठीक से देख नहीं पाया था।

बूढ़ा और बच्चा आसपास से कुछ लकड़ियाँ बीन लाए थे और उनको जलाने की कोशिश कर रहे थे।

लकड़ियाँ ओस से भीगी हुई थीं। काग़ज़ के कई टुकड़े और माचिस की तीलियाँ जलाने के बाद भी लकड़ियाँ नहीं जलीं।

सिर्फ़ धुआँ ही धुआँ उठ रहा था और बुड्ढे को खाँसने पर मजबूर कर रहा था।

“बाबा, जल्दी जलाओ न, बड़ी ठंड लग रही है।” ठंड से किटकिटाते हुए दाँतों से छनकर बच्चे की आवाज़ आई। बच्चा लकड़ियों के छोटे-से ढेर के पास सिकुड़कर उकड़ूँ बैठा हुआ था।

तभी बूढ़े ने कँपकँपाते हुए कहा– "अरे कलुआ, हुआँ जो कागज पड़ो है ना, उहको उठा ला।"

मैंने देखा कि बच्चा बड़ी मुश्किल से ठिठुरते हुए उठा और सड़क के किनारे पड़े अख़बार के एक आधे पन्ने को उठा लाया।

"ये लो बाबा।" उसने काग़ज़ को बूढ़े की ओर बढ़ाते हुए कहा।

बूढ़े ने काग़ज़ पकड़ा– "ये मुआ कागज भी गीला निकला! ओस से सब भीग गवा है। अब कैसन जलब इ लकड़ियाँ?"

बच्चे के चेहरे पर उदासी छा गई।

उसके ठिठुरते हाथ, उन्हीं अधजली लकड़ियों में आग खोजने लगे।

चाय की चुस्कियों के बीच ये देखकर मुझे कुछ अच्छा नहीं लगा।

थोड़ा सेंटीमेंटल हूँ न मैं।

मैं सोचने लगा– 'जहाँ बड़े-बड़े लोग अपने हीटर वाले घरों में रजाई में बैठे, ब्लैक कॉफ़ी का मज़ा ले रहे होंगे, वहीं इनको देखो, बेचारे इस ठंड में ओस से गीली हो चुकी सड़क पर आग तलाश रहे हैं। लकड़ियाँ हैं भी तो गीली।

'सच में, जिनके पास है, उनको मिलता ही रहेगा और जिनके पास कुछ भी नहीं है, उनको कुछ भी नहीं मिलेगा।

'कैसा है न ये सब? किसी को ग़रीबों की फ़िक्र नहीं है। कितना स्वार्थी हो गया है आजकल का इंसान?

'और सरकार! सरकार की तो बात ही मत करो। ग़रीबों की थाली में बस वादे रख दो, और ख़ुद सारा खाना खा जाओ उनका। मंत्री, नेता, अफ़सर, सब साले टीवी और अख़बारों में ग़रीबों के मसीहा बनते हैं। अरे सच में हो, तो आओ यहाँ और जला दो इनकी लकड़ियाँ।

'दो-चार कंबल बाँटकर फ़ोटो छपवा देंगे हर हफ़्ते अख़बार में बस। सरकार अलाव जलवाती है, पर सिर्फ़ काग़ज़ों पर। अगर सच में जलवाती, तो इन दोनों को गीले काग़ज़ क्यों बटोरने पड़ते?

'शरम आती है ऐसे लोगों पर, जो आहों और लाशों में भी अपना फ़ायदा ढूँढ़ते रहते हैं। क्या यही नाता है एक इंसान का दूसरे से? हम भी तो कुछ कर सकते हैं न औरों के लिए, थोड़ा कुछ... '

ये सब सोचते हुए चाय की आख़िरी चुस्की गले के अंदर उतार ली।

बढ़िया चाय बनता है बाबूलाल, मस्त अदरक का स्वाद आ रहा था आख़िरी घूँट तक।

''अरे बाबूलाल, इस बूढ़े और बच्चे को एक-एक कप चाय पिला ही सकते हो तुम, कम से कम कुछ तो राहत मिलेगी इनको इस ठंड में... इंसानियत के नाते ही सही।'' मैंने चाय का गिलास बग़ल में रखा और अपनी चाय के पैसे बढ़ाते हुए कहा।

''अरे कहाँ भैया, यहाँ तो ऐसे पचासों पड़े रहते और ठंड से मर जाते हैं। किस-किस को चाय पिलाऊँ, साहब! और इंसानियत का ऐसा है भैया कि उसकी कौनो नहीं सुनता। अब हमको ही देखो, सुबह छह बजे से इतनी ठंड में चाय छान रहे हैं, शाम को रंगदार बाबू आएँगे, अपना 300 रुपया लेने रोज़ का। एक दिन न दो, तो टपरी की जगह किसी और को पकड़ा देंगे और आप इंसानियत की बात कर रहे हैं! ख़ैर छोड़िए, आप भी कहाँ इन सब बातों में पड़ गए, भैया।''

मुझे बाबूलाल की बात सुनकर बहुत ग़ुस्सा आया, पर किटकिटाते दाँतों की वजह से कुछ कह नहीं पाया।

मैंने अपने हाथों को जैकेट की जेब की गरम क़ैद में डाला और धीरे-धीरे अपने रूम की ओर चलने लगा।

मेरी नज़र फिर से उस बूढ़े और बच्चे पर पड़ी, जो अभी भी उन गीली लकड़ियों को फूँक रहे थे।

मैंने सोचा कि उन्हें कुछ पैसे दे दूँ।

पर पैसे तो मेरी पैंट की जेब में थे... और इस ठंड में जैकेट की जेब से पैंट की जेब तक का सफ़र, बड़ा लंबा सफ़र था मेरे ठिठुरते हाथों के लिए।

ठंडी हवा में मुझे ठिठुरा दिया।

मैं आगे बढ़ गया।

वो दोनों अभी भी गीली लकड़ियाँ फूँक रहे थे।